보금자리

보금자리

초판 1쇄 · 2022년 3월 12일

지은이 · 신현애
제 작 · ㈜봄봄미디어
펴낸곳 · 봄봄스토리
등 록 · 2015년 9월 17일(No. 2015-000297호)
전 화 · 070-7740-2001
이메일 · bombomstory@daum.net

ISBN 979-11-89090-53-1(03800)
값 15,000원

보금자리

신현애 수필집

봄봄
스토리

글머리에

맑고 높은 하늘가에 집채만 한 구름이 듬성듬성 떠 있다. 경칩이 지났지만 들바람은 아직도 손끝을 아리게 한다. 지난해는 참으로 바쁘게 보냈다. 신년 초, 글쓰기 공부를 목표하고 계획을 세웠다. 살아오면서 무엇인가 흥미를 느낄 때 열정을 다해야 한다는 이치를 깨달았기 때문이다. 한살이라도 더 하기 전에 제대로 된 글 한 편이라도 남기고 싶은 간절한 마음에 유명작가의 책을 여러 권 샀다. 밑줄을 긋고 감명 받은 문장은 노트에 적었다. 야무지게 설계한 꿈은 등나무 꽃이 피고 꼬투리가 맺힐 때까지는 그런대로 이어졌다. 그런데 세상사 계획대로 안 되었다. 예기치 않은 사고를 당해 삼복더위, 등에 땀띠가 나도록 병원에 누워 있었다. 어느 날은 아파트 게시판에 이장모집 공고가 붙었다. 봉사를 해보고 싶은 마음과 때 묻지 않은 새롭고 낯선 글감을 찾을 수 있겠다는 일념으로 신청서를 냈다. 어쩌면 두 마리 토끼를 잡을 수 있는 기회가 될것 같던 기대는 물거품이 되어 객기로 남았다. 그러는 사이에 나뭇가지에 무성하던 잎은 모두 떨어졌고, 희끗희끗한 눈발이 날릴 때 급기야 계획변경에 들어갔다. 지난 3년간 충북일보와 중부매일에 기고했던 글을 모아 책을 만들어 보기로 마음먹었다. 그래서 미숙한 글을 모아 다듬기를 시작했고, 인생 항로 장도에 오르는 딸아이가 부디 행복하기만을 바라는 어미의 심정으로 묶어 보았다.

2022년 이른 봄날아침

청원(青原) 신 현 애

목 차

제 6 부

딸아!

제1부 보금자리

명절문화

폭염보다 무서운 코로나19 4차 대유행 속에도 추석연휴는 시작되었다. 수도권에서 급격하게 늘어나고 있는 확진자 수로 이동을 자제해 달라는 방역당국의 당부가 있었지만, 지난번 계획을 내 사정으로 연기했던지라 아무 말 못하고 딸아이를 따라 나섰다. 연중 여행계획을 이번 추석명절에는 '호캉스' 하기로 했던 터, 인터넷 서핑을 하여 가까스로 예약하고 전날 역귀성 해서 호텔에 도착하였다. 이미 주차장에 빼곡한 차량으로 짐작은 했지만, 로비 곳곳에 많은 사람들이 웅성거렸다. 가족끼리 지내던 명절 분위기와는 다르게 형형색색의 옷차림은 관광지나 다름없었다. 밝고 즐거운 그들의 표정을 보며 '명절에 여행이라….' 는 마음의 부담이 나만의 우려였음이 느껴졌다.

지구촌을 뒤흔들어 놓은 전염병으로 여행이 자유롭지 못했던 때문이었을까. 야외 수영장은 여름철 해수욕장 같았다. 중요부분만 아슬아슬하게 가려진 수영복을 입고 있는 젊은이가 있고 그늘아래 조용히 눈을 감고 해바라기를 즐기는 중년의 부부도 있었다. 어느 곳이나 MZ세대들이 주류를 이루었다. 주먹을 쥐고 살아 온 부모세대가 일궈낸 혜택을 누리는 그들의 호사가 낯설면서도 부러웠다. 우리도 일정에 맞춰 곧 옷을 갈아입고 수영장으로 내려갔다. 전혀 생각하지 못했던 도심 한복판에 울창한 숲과 자연이 있다는 사실이 믿기지 않았다. 아직은 따가운 햇살을 피해 잔디밭 옆으로 흐르는 물에 발을 담그고 선 베드에 누워, 파란 하늘을 보니 명절날 시댁을 다녀오던 일이 떠올랐다.

차량의 극심한 정체로 답답함을 느끼면서도 조상님의 숨결이 느껴지는 고향을 간다는 마음은 분주했다. 타향에 산다는 이유로 음식을 함께 준비하지 못하고 선물을 마련하는 것이 일이라면 일이었다. 고향에서 조카님들이 며칠 전에 벌초를 했다는 연락이 왔고, 이틀 전부터는 질부들의 물김치를 담고 식혜를 만드는 소리가 들리는 듯 했다. 명절전날 일찍 출발한다 해도 큰집에 도착하면 언제나 모든 준비가 끝난 상태였다. 명절날 아침, 기억에도 없는 할아버지와 할머니의 밥과 국을 떠놓고 큰상에 풍성하게 차려진 음식을 보며 음식을 장만한 조카며느리들이 대견하면서도 마음 한편엔 앞으로 누가 '이 일을 해 낼 것인가' 걱정이 되었다.

조선시대 때, 제사는 상당한 지위에 있거나 양반가에서만 지낼 수 있었다고 한다. 제사를 봉행하려면 음식이 있어야 하는데 형편이 여의치 못했던 때문이라 했다. 명절뿐 아니라 기제사 사대봉사를 모신다는 일은 가문의 광영으로 알았고, 제주권(祭主權)을 갖고 있으면 자손 됨의 긍지와 자부심이 있었다고도 했다. 지금도 ○○네 큰아들, □□네 맏며느리 하면 달리 보이는 느낌은 그때 상향된 시선으로 보던 인식 때문이리라. 조선후기 신분제가 붕괴되고 100년의 세월이 지나면서 제사문화는 변하였다. 심지어 혼인 말이 오고 갈 때 종갓집 맏아들이라고 하면 여성들이 꺼려할 정도로 부담스러운 일이 되었으니. 점차 제사를 지낼 후손이 줄어들어 때로 맞춤음식으로 대행하기도 하지만, 그 역시 여성들에게는 명절증후군을 앓게 한다. 우리 집안도 몇 해 전, 젊은 세대에게는 '물려 주지말자'고 의견 합치를 보았다. 조상님의 은덕을 기리는 마음이 퇴색되지 않기를 기도하며 성당에서 미사참례를 한다.

기상예보대로 어제 밤에 요란한 천둥을 동반한 비바람이 불었다. 추석날 아침 한남대교를 건너오는 차량들의 번쩍이는 불빛이 줄을 잇고, 야외 수영장에는 비를 맞으며 투숙객 한명이 수영을 하고 있다. 변화되어 가는 명절문화, 머지않아 고향을 가기 위해 선물을 사던 일, 세배 돈을 주려고 은행 앞에 줄을 서서 신권을 찾던 일과 돌아오는 가방에 가득담긴 정성이 그리워질 것만 같다.

보금자리

미호천을 따라 물안개가 하얗게 피어오르고 있다. 수변 공원에는 햇살을 받은 코스모스가 하늘거리고 들녘에는 익어가는 벼들이 황금물결을 이룬다. 저 멀리 청주의 최고층 아파트가 한눈에 들어오고 뒷산 국사봉에서 불어오는 바람은 더없이 시원하다. 풍수 지리학상 '배산임수(背山臨水)' 라고 했던가. 팔만여 평의 넓은 부지위에 지은 건축물. 2,500여 세대가 자연과 조화되고 휴식과 운동시설이 어우러진 여유로운 공간이 나의 보금자리이다. 외곽에서 보기에는 여느 아파트 단지와 별반 다를 게 없다.

삼십년 넘게 공인중개사 활동을 하면서 빌라, 빌리지, 고급아파트, 설계가 잘된 집, 인테리어를 예쁘게 해놓은 집, 수많은 아파트를 보아도 느낌이 없었다. 평소 나는 세련되지 못하고 오밀조밀한 솜씨로 집안을 꾸미지도 못한다. 그래서 아파트생활은 나와 맞지 않는다고 생각해왔던 터라 이곳으로 보금자리를 마련하리라고는 정말 나도 몰랐다. 우연한 기회에 집을 팔자 허전한 마음을 잡기위해 택한 일이었을 뿐이다. 그런데 번화한 시내에서 십여 분 거리에 있는 공사현장을 몇 번 오고 가다보니 포시러운 아기의 뺨에 빠지듯이 점점 좋아지기 시작했다.

드디어 건물이 완공되고 점등식이 있던 날의 설렘으로 입주허가를 받았다. 선두주자로 입성을 하고 백일이 지났다. 아기가 세상에 태어난 지 백일이 가까워오면 뒤집기를 시작하듯이 내 스타일이 아니라고 했던 아파트생활 석 달이 지나면서 낯을 익힌다. 첨단시스템의 피트니스 센터, 전자 도서관을 들락거리며, 아파트 주위를 둘러 싼 운동기구도 이용해 보고, 오늘같이 햇빛이 좋은날은 중앙 잔디밭에서 푸르른 자연의 냄새를 맡아보기도 한다. 동간(同間)거리가 넓어 사생활 보호가 되고 집안에 손님이 여러 명이 왔을 때는 게스트하우스가 있으니 걱정이 없다. 특히 내가 보금자리를 더 좋아하게 된 이유는 주차장 시설이다. 주차장 특유의 갇힌 공기, 자동차 기름 냄새와 소음이 무척 싫었는데….

보금자리의 넓은 주차장은 지하 주차장이라는 말이 무색 할 정도로 지대가 높다. 산과 들에서 불어오는 바람과 채광 흐린 날이면 LED 조명이 낮처럼 밝게 비추어주고 대 당 바닥면적도 널찍하니 주차장은 내게 선물이었다.

요즈음 집이 어디냐고 묻는 상대방에게 "옥산이에요" 하면 의아한 표정을 짓는다. 밀집되어 있는 주택가와 빌딩, 아파트 숲을 하루에도 몇 번씩 오르내리다 보니 지인들은 아마도 내가 당연하게 근처에서 보금자리를 정하리라 생각했나 보다. 6층 건물을 짓고 집들이를 하였을 때 남편의 직장동료 한 분은 "역사를 이루셨군요"했다. 이번에는 '변혁을 하셨군요.' 할 거다. 옳은 말이다. 내 인생의 대변혁을 한 셈이다. '제 눈에 안경'이라고. 혁신적인 주거문화와 휴게공간이 아침저녁으로 산책을 나서게 하는 이유가 있고, 자연 그대로의 주변 환경은 세상살이의 소음을 걸러서 들려준다. 아파트단지 둘레만 걸어도 한 시간이 소요되니 운동을 못하는 내게는 안성맞춤이다.

나는 영민하지 못하다. 더딘 걸음으로 걷던 내가 어느 순간에 고리 던지기 게임 하듯이 목표를 정해 놓고 자신을 재촉하며 다그쳐 왔다. 본의 아니게 부동산 중개업계의 윗자리를 맡고는 '무사히 하산할 수 있을까' 괴로운 밤을 보내기도 했다. 그러니 심신이 얼마나 고달팠으랴. 이런저런 많은 날들이 저만치 가고 이제야 보금자리로 돌아왔다. 리버(river) 파크(park) 자이 아파트. 나는 이 보금자리에서 이제는 누구에게 보이려고 애를 쓰기보다 내 안의 자신을 보며 원래의 모습으로 조금은 편안하게 숨을 고르리라.

젊은이

Parasite! 아카데미 시상식에서 수상작이 발표 되는 순간, 봉준호 감독은 물론 세계 영화팬들이 환호했다. 한국영화가 세계 영화 역사를 새로 쓰며 그는 세계적인 거장으로 우뚝 섰다. 겸손과 유머가 담긴 재치 있는 수상 소감은 언론과 네티즌들에게 다시 한 번 감동을 주며. 온, 오프라인의 전파력은 지구촌 곳곳 인종이 다른 문화권까지 '기생충 신드롬' 으로 열광하고 있다. 외국의 어느 영화감독은 자기보다 젊은 감독이지만 존경스럽다고까지 말했다. 우리는 고난과 역경을 이겨내며 고지에 오른 이의 포효 같은 말과 소리가 익숙한데, 신세대 젊은이의 기백은 자연스럽고 자신감이 있었다.

삼 개월 전 아파트 엘리베이터에 공고문이 붙었다. '선거 관리 위원을 공모하오니 봉사에 뜻이 있는 주민 여러분의 관심과 참여를 부탁드립니다.' 자격과 결격사유 몇 가지에 해당하지 않는 자는 구비서류를 제출하란다. 아파트 생활의 새로운 환경을 알고 싶은 마음에 서류를 갖추어 냈는데 예상보다 지원자가 많아 추첨방식을 통해 선출되었다. 아침이면 다람쥐 쳇바퀴 돌 듯 쫓기듯이 하루를 시작하고 별로 한일이 없는데도 저녁이면 물먹은 솜처럼 피곤했던 날들에는 할 수 없던 일이었다. 하던 일에서 한 발짝 물러난 지금, 봉사를 해 볼 수 있는 좋은 기회라고 생각했다. 경험하지 못했던 사회 참여 방법의 하나였고, 나이 들면서 새로운 것을 받아들이려는 마음은 건강에도 좋다고 하니 일거양득인거 같았다. 그리고 구성인원이 지긋한 나이의 사람들 일거라고 나름대로 짐작하였다.

그런데 첫 모임에서 '아는 게 없으면 용감하다'고 하더니 그 말이 맞았다. 일곱 명의 위원 중에 내가 최 연장자이었고, 차 순위 자는 무려 아홉 살이나 적은 남성이었다. 제일 어린 위원은 나이 차이가 제법 많이 나는 젊은 여성이었다. '잘못한 일 아닐까' 난감한 마음을 숨기려 짐짓 태연한 표정을 지었다. 그러면서도 속으로는 각종 미디어의 익숙한 정보와 상략하고 행동이 민첩한 이들 앞에서 어떤 자세를 취해야 하나 걱정이 앞섰다. 지금까지 여러 모임을 가져 보았지만 연장자는 처음이었다. 이런저런 모임에서 조심을 하지 않아도 흠이 되지 않았던 것은 그저 젊음이라는 무기가 작용했기 때문 일터인데. 새로운 것 젊은 기운을 찾으려다 일어난 일, 뒷걸음 칠 수도 없고…. 손님도 나이 어린 손님이 더 어렵다고 하였던가.

젊은이의 발랄함과 자신감에 놀란 것은 이번이 처음이 아니다. 지난해 대학원 송년회 때도 있었다. 한동안 원우회에 나가지 못했던 때문에 원장님이라고 인사를 할 때 풋풋한 젊은이임에 저으기 놀랐다. 삼십대로 보이는 동안과 캐주얼한 의복은 이웃집 청년처럼 느껴졌다. 만개한 그의 청춘이 부러웠고 한편으로 '나는 젊은 날 무엇을 했던가'라는 혜윰에 젖기도 했다. 세상과 멀리 있지 않았는데도 나의 고루한 생각은 아직, 직장이나 사회의 수장(首長)은 풍채와 연륜이 그윽하게 실려 있을 줄 알았다. 우선 겉모습에서 쉽게 알아 볼 수 있으리라 했는데 아니었다.

돌아보면 내게도 있던 날들이다. 젊은 날, 계약서를 쓰고 낮처럼 밝은 달밤에 말티 재를 넘어 온 이튿날에도 거뜬하게 일상을 열었고, 사무실 화분에 활짝 피어있던 아마릴리스 꽃에 비유하며 '화사한 모습이 보기 좋다'는 고객의 말을 들은 적도 있다. 일련의 계약과정을 마친 노인은 인사로 건 낸 손을 잡고 한참을 놓아주지 않았다. 그때 무척 바빴던 나는 노인의 손이 여간 부담스럽지 않았다. 멀어져 가는 젊음이 아쉬워서 일까. 보기만 해도 전해오는 싱그러운 저들의 '젊음'을 바라보고 있다. 그때 그 노인, 다시 만날 수 있다면 이번에는 내가 손을 꼭 잡고 오랫동안 있으련만….

잘난 사람

야물게 영글어 가는 청춘, 유럽 잉글랜드 프로축구 팀에서 뛰고 있는 손흥민은 또 한골을 넣었고, 미국 야구에서 돌아온 추신수는 거액의 연봉 일부를 기부하였다고 한다. 아침이면 조간신문 16지면은 잘난 사람들의 소식으로 가득하다. 월드 뉴스에는, 수백 미터의 암벽을 로프없이 오르며 인간의 한계에 도전하는 젊은이도 있고, 곳곳에 잘난 사람이 참 많다.

뒤늦게 배움의 갈증으로 타는 목마름을 가시게 한 '한국방송통신대학교' 는 전국에서 우수한 인재들을 많이 배출하였다. 75만 동문 중에는 정부 고위직 관료의 수가 유명대학과 어깨를 나란히 한다는 통계가 있고, 미래의 동량도 무수히 있다. '충북지역 대학'

도 그렇다. 전국의 수재들이 모인다는 서울, 굴지의 대학을 졸업하고도 이루지 못한 사법시험 합격자를 두 명이나 탄생시켰다.

「김한근」 그는 법학과 동기이다. 우리는 새로 받은 교과서의 냄새를 겨우 맡고 있을 때, 출석 수업에서 얼굴을 두어 번 본 그가 고시공부를 한다고 홀연히 떠나갔다. 각자 나름의 사회생활을 하고 있는 학우들은 그 길이 쉬운 길이 아님을 아는 터라, 장도(壯途)에 오르는 그에게 시원한 응원의 말 한마디, 해주지 못했다. 결코 그의 실력을 낮게 보았거나 지역대학의 열세를 앞세운 것은 아니었지만 유수한 대학을 나오고도 수년 혹은 십수 년을 도전했다가 실패하고 낭인이 된 이를 한둘 보아 왔던가.

오전 육기, 그가 다섯 번의 실패 끝에 여섯 번째 드디어 합격이라는 소식을 전해 왔을 때 우리는 크게 환호했다. 젊은 인생의 전말(顚末)을 화두로 잡고 고뇌했던 그는 결국 응결된 가슴을 학의 날개처럼 활짝 펼치고 고향으로 돌아왔다. 공고 출신으로 입신양명 한 그는 지금 우리고장 J 법무법인에서 건설전문 변호사로 있다. 지방 방송인, CJ방송에서는 '시사 진단' 프로를 진행하기도 했고, 현재 충북대학교 법학 전문대학원 겸임교수이면서 지난해에는 '건설 분쟁 실무' 책을 출간하기도 했다. 누구를 한마디로 평가하거나 개념을 부여하기는 쉽지 않지만 그는 잘난 사람이다.

잘난 사람이 후배 중에 또 한사람이 있다. 이름은 「박춘록」이다.

그녀는 K 방송사의 우리말 겨루기와 퀴즈 대회에서 전국을 휩쓸었다. 「우리말 겨루기 달인」에서 왕 중 왕. 우리말 대왕. 「퀴즈 대한민국」에서도 영웅이라는 타이틀을 시작으로 왕 중 왕. 왕 중에서도 최후1인까지 남아 퀴즈제왕으로 등극했다. 더 이상 비길 자가 없는 제왕의 자리에 오른 기분은 과연 어떠했을까….

충남 부여에서 어린 시절을 보낸 소녀, 공부는 늘 상위였지만 수업료를 제때 못내 교실 뒤편에 서서 벌을 서는 일이 다반사였단다. 공부 잘하는 딸을 그의 엄마는 못 본 척 했단다. 여의치 않은 환경은 그녀를 우선 생활전선으로 내 몰았다. 지금은 두 아이의 엄마이기도 한 그녀, 고압가스를 비롯한 건설업 면허·수질환경 기사·중장비 기사 자격증 등 남성들도 취득하기 어려운 자격증이 수두룩하다. 24세에 중장비 기사로 신갈 안산 간 고속도로와 반월터널 논산 계룡대 등 많은 도로공사 현장에서 땀을 뿌렸고, 우리 고장 미원과 초정 도로를 공사하였다. 땡볕 아스팔트 위를 롤러로 다지며 운전하는 사람이 여성이라고 누가 생각이나 했을까. 2014년 제정된, 〈한국방송통신대학교〉 조기졸업자 1호이기도 하다.

갸녀린 몸매와 또렷한 눈망울의 그녀, 좀 더 일찍 그녀의 '인생항로에 바람 한자락 불어 주었더라면' 하는 아쉬움이 남았다. 모은 상금으로 어머니에게 집을 사드렸다는 효녀, 출구가 보이지 않는 삶 앞에 수많은 결렬의 밤을 보내면서 그들의 젊음은 자체 발광하였다. 공부라는 노둣돌을 밟고 안장 위에 오른 잘난 사람들, 이제 그들의 다음 행선지는 어디일까?

어떤 계약

아침 햇살이 안개를 걷어내고 창가에 와 앉아 있다. 발목에 쌓이는 눈과 혹독한 추위가 없었던 지난 겨울은 우리 같은 공인중개사들이 현장에 다니기에 좋은 날씨였다. 십여 년 전 이맘때 쯤 일이 생각난다. 그날 무료히 앉아 있던 오후에 전화가 울렸다. 상대방이 광고에 난 물건을 보고 싶다고 말했다. 매도해 달라고 의뢰가 들어온 물건을 일간지광고에 냈더니 그것을 보았던 모양이다. 물건은 시내에 있는 큰 건물이었다. 전화기 속에서 들려오는 목소리는 연세가 지긋했다. 크게 기대는 안하고 간단한 설명만 드렸다. 그런데 매수의뢰를 해 오신 분은 종친회 회장님으로 이튿날 임원진을 대동하고 사무실로 오셨다. 나는 건물에 대한 구체적이고 자세한 현황과 전망을 이야기하고 현장 안내도 마쳤다. 그리고 며칠 후, 회의에서 의결이 되었다며 일을 진행하여 달라는 의사를 보내 왔다. 부담감이 크게 들었지만 일단 대답은 했다. 솔직히 말하면 문중의 일은 절차와 과정이 개인과 달리 복잡해서 남성 중개사들도 꺼려하는 게 사실이다. 그런데 나는 이런 큰 물건은 쉽게 오지 않을 기회이기도 했고, 한편으로 모험심이 발동하기도 하였다. 회장님께 지나온 중개업 생활 모두를 걸고 한번 해 보겠다고 자신감을 보였다.

가끔 초면의 상대방에게 직업이 '공인중개사' 라고 하면 쉬운 일을 한다고 생각하는 이가 있고, 때로는 복권당첨 하듯이 한 건을 하면 큰돈을 벌 수 있는 직업으로 알고 있기도 하다. 그런데 강산이 세 번 반이 변하도록 많은 계약을 해 보았으나, 어떤 일도 결코 녹록치 않았다. 계약서 한 장을 쓰기까지의 과정은 정말 치열한 삶의 현장이나 다름이 없었다. 하나의 계약을 이루려면 매도인과 매수인 양쪽 당사자와 우선 만나야 한다. 만나서 대화를 하면서 문제가 있으면 실마리를 찾아내고 새로운 형태의 무엇을 만들어 가는 게 일의 순서이다. 그런데 당시 매도인은 달랐다. 의뢰한 물건의 가액에서 한 푼도 양보할 수 없음을 강조하며, 제시한 금액이 나오기 전에는 만날 필요가 없다고 말했다. 왜 저리 완강할까. 물건을 내놓았으면 팔 의사가 있는 거 아닌가. 중개자가 여성이라서 못 미더운 걸까. 한번만 만나서 이야기를 하자고 해도 한마디로 '시간이 없다'며 도대체 만나

주지를 않았다. 출근하기 전 10분만 이야기를 하자고 아침 일찍 그의 집을 방문하였으나 현관문을 빼꼼하게 밀고 내다보던 그의 부인은 "남편이 원하는 금액이 합의 되었을 때 오래요"라는 같은 말만 되풀이하다 문을 닫고 들어갔다. 금액이 적은 매매도 쉽게 이루어지는 것이 아닌데, 큰 물건을 팔겠다고 하면서 융통성을 전혀 보이지 않는 매도인의 태도에 벽 앞에 선 것 같은 답답함을 느꼈다. 한동안 시간이 흘러가도 진전이 없는 기다림에 종중의 매수 의뢰인 측은 점점 마음이 흔들리고 있었다. 나도 의욕이 떨어져 '포기해 버릴까 '하는 생각이 들었고 호언장담을 했던 일도 후회가 되었다.

카운트다운을 하는 초조한 심정으로 기다리던 어느 날이었다. 매도 의뢰인의 아내에게서 연락이 왔다. 그리고 언제 애를 태웠느냐는 듯 급속하게 일이 진행되었다. 재미있는 건 만나서 이야기를 하다 보니 매도인과 매수인이 젊은 시절 한 집에 살았던 인연이 있는 사이였다. 절대 고집하던 가액도 약간 조정되고 드디어 한 장의 계약서를 작성하였다. 그리고 도장을 꾹 눌러 찍던 그들은 웃으면서 돌아갔다. 텅 빈 사무실에서 공연이 끝난 피에로처럼 나는 잠시 서 있었다. 크든 작든 하나의 계약을 이루고 나면 마치 한 편의 영화를 찍은 열연 배우처럼 기쁨과 허탈감이 함께 몰려왔다. 이제 나는 또 다른 고지를 향하기 위하여 충전의 시간을 갖기로 했다. 문중의 계약서를 혼자 진행하고 완성하게 되었던 모노드라마는 힘들었던 만큼 성취감이 컸던 기억에 남는 계약이었다.

말, 말, 말씀

‘인간의 삶은 언어를 통하여 영위된다. 한 인간이 사회와의 관계에 적응하기 위하여 훈련되어 간다.’ 일본작가 요네하라 마리가 〈프라하의 소녀시대〉에서 한 말이다. 이 책은 동구 공산정권이 몰락되고 베를린 장벽이 붕괴해 가는 과정을 통역사의 눈으로 보고 기록한 글이다. 작가는 이어서 ‘사람은 혼자서는 살 수 없다.’ 고 말하며, 인간은 동물과 달리 복잡한 사고력을 가지고 있는 만큼 표현이 있어야 한다고 했다. 인간과의 관계에서 말은 필수이기에, 원활한 사회생활을 유지하기 위해서는 자신의 생각을 말로 전달할 수 있어야 한다는 거다. 언어감각에 대한 이야기를 하며 언어도 연습해야 한다고 역설하였다.

현대인은 말의 홍수 속에 살고 있다. 아침이면 전화기에 쌓이는 인사말과 백화점이나 공공장소에서 들리는 비슷한 음정, 상냥하고 화사한 말들이 때로는 공해처럼 느껴질 때가 있다. 진정성이 없기 때문이리라. 말, 말은 사람과의 관계에서 무엇보다 중요하고 인간관계를 이어주는 매개체이다. 말에는 완급조절 기능도 있어 감정을 실어 가기도 한다. 말은 때와 장소가 있고 높고 낮음의 순도도 있다고 했으며, 한마디 말에 온도가 있고 나이가 있단다. 젊은 시절에는 오만방자 했던 말이 연륜을 쌓아가면서 무게가 실리고 마음이 담겨 말씀이 된다. 나이를 들어가며 점점 말조심을 하게 되고 겸손해지며, 같은 말이라도 각자 자기의 입장에서 해석을 달리한다고 했다. 말로 맺힌 마음은 말로서 풀어야 하고, 말이란 독이 될 수도 있어 가끔은 말을 안 하는 것이 더 좋을 때가 있다. 수없이 많은 말이 스쳐 지나가기도 하지만 진솔한 한마디 말이 가슴을 적시기도 한다.

말은 자기의 생각이고 뜻을 표현하는 문화적 수단이다. 말의 엄중함은 시대를 넘고 국경을 초월하기도 한다. 주역에도, 러시아의 문호 톨스토이도 말하기의 어려움을 경계하는 말을 했다. 법구경에서는 '말은 화살과 같아서 가볍게 쏘아서는 안 된다.'라고 하며, '한번 사람의 귀에 들어가면 힘으로 뽑아낼 수 없다'고도 하였다. 말로 짓는 죄업도 이루 말할 수 없이 많다고 했다. 잘난 척하는 말, 남의 허물을 드러내는 말, 간사한 말, 속이는 말, 냉정한 말, 남을 원망하는 말, 여과되지 않은 말 등은 자신도 상처를 입고 남에게도 죄를 짓게 하는 말이란다.

몇 년 전 집안의 결혼식에 참석했다가 느닷없이 말 폭탄을 맞았다. 세치 날 선 혀끝에서 나온 말은 어떤 무기보다 폭발력이 강했다. 그날의 말 한마디는 비수와 같이 나에게 상처를 남겼고, 말의 가해자도 그 칼에 베이고 말았다. 한마디 말은 사람의 인격이나 생활 인생관 등 자신의 모든 것을 드러내는 단초이다.

말 잘하는 정치인들조차 자기가 한 말에 함몰되고 그물이 되어 걸리기도 한다. 오래 전에 성당 성가대 모임에서 회장을 한 적이 있다. 어느 날 총무를 맡은 교우가 머리모양을 변신하고 왔다. 매우 낯설었지만 친근감을 표시하고 조언을 한다고 귀엣말로 속삭였다. "전에 했던 헤어스타일이 더 잘 어울려요." 그 말에 반응이 없던 그녀는 그 날 이후 내게 말을 하지 않았다. 도움을 주려고 진정을 담아 한 말이었는데 말하기가 참으로 어렵다는 것을 실감하고 ' 스피치 교실'을 수료하기도 했다. 말, 말, 말씀. '요네하라 마리'는 책속에서 말했다. 자기가 말할 내용 뿐 아니라 어떻게 말해야 상대방이 '잘 알아들을지 까지도 생각하며 말을 한다.'는 문장이 가슴에 오래 남는다. 말은 곧 마음의 소리이기 때문이리라.

집착

창밖에 어둠이 내려앉기 시작하면 아파트 지상 주차장에 차들이 꼬리를 물고 들어온다. 이내 즐비하게 세워진 차를 보며 분명 내일은 날씨가 좋을 거라는 예측을 해 본다. 기상이 좋지 않다는 날에는 마치 두더지가 땅굴 속으로 숨어들어 간 듯이 지상 주차장은 텅 비어 있다. 이곳으로 이사 와서 일곱 계절을 보내면서 나름대로 터득한 일기예보이다. 도로변 상가 건물에서 살 때 주차난은 무척 심각했다. 그때보다 한결 덜하지만 대기가 불안정한 날이면 이중 주차구역까지 늘어선 차량의 행렬은 명절날, 고속도로 위에 줄지어 서있던 차들을 방불케 했다.

아침에 출근하던 딸아이에게서 전화가 왔다. 웬일인가 하고 놀라서 받으니 "엄마 1번 자리가 비어 있어요" 라고 말했다. 엘리베이터에서 두어 걸음만 걸으면 닿는 첫 번째 블럭, 주차장 앞자리. 그중에서도 1번 자리는 내가 가장 선호하는 자리이다. 내가 좋아하는 자리가 비어 있다는 것이다. 얼른 내려가서 차를 옮겨 놓았다. 이런 날 그 자리에 차를 세워놓고 나면 외출할 일이 생겨도 나가기가 싫다. 하물며 주일날에는, 아침미사를 갈까 저녁미사를 갈까 하며 성당 가는 것조차 망설이게 된다. 드높았던 삶의 집착이었을까. 앞자리를 좋아한 것은 오래 되었고, 선호하는 이유가 있다. 공부할 때나 듣고 싶은 명사의 공개강좌가 있을 때 한결 집중도가 높았고, 연사의 말소리뿐이 아니고 얼굴 표정과 몸 전체에서 나오는 아우라가 느껴지기 때문이다. 그것이 습관이 되었는지 하여튼 앞자리가 좋다. 때로는 이런 작은 일에 일희(一喜)하는 자신이 한심하게 느껴져 그 구속에서 벗어나려고 해 보았으나 잘 안 되고 있다. 불가에서는 집착을 만병의 근원이라고 했는데, 나는 별일 아닌 것에 집착을 하곤 한다.

요즘 집착에서 자유롭지 않은 노인을 만났다. 초등학교 교사로 퇴직하셨고 지금은 화가로 활동을 하신다. 여든이 넘으신 나이에 부동산에 관심을 보이며 자주 나의 사무실을 들리곤 하셨다. 세련된 옷차림은 나이보다 훨씬 젊어 보이셨다. 어느 날 전시회를 했다며 그림을 보여주겠다고 해서 노인의 집을 방문했다. 노인의 외양과 달리 허름한 아파트에는 방이 세 칸이었다. 그런데 열어 보여주는 방마다 노인 특유인 온기 없는 외로움의 냄새가 풍겼다. 말끔하게 정돈된 세면실 비누 곽에는 쓰다 남은 비누 조각이 주먹만 하게 뭉쳐있었고, 베란다에는 곧 어디라도 떠날 듯이 묶여진 짐들이 쌓여 있었다. 한낮 임에도 우중충한 실내 분위기와 협소한 주방은 싱크대와 맞붙은 냉장고 문이 제대로 열리지 않았다. 노인은 집안을 둘러보는 내 표정이 마음에 안 들었는지 “재개발 계획이 있다기에 이곳으로 이사 왔다”고 하며 아직 짐을 풀지 못했다고 말했다.

‘재개발 계획구역’이란, 도시계획의 일환으로 토지의 합리적 이용을 위해 공공시설 정비에 따라 도시환경이 현저히 불량하거나, 건축물이 노후 되었을 때 지정되는 구역이다. 계획대로 진행이 된다고 해도 지난한 시간을 흘려보내야 한다. 아마 노인은 누군가에게 ‘재개발 계획구역’에서 얻어지는 ‘프리미엄’의 달콤한 이야기를 들은 것 같았다. 그래서 노인은 불편을 감수하고 있으리라. 누구나 경험하지 않은 것에 대한 호기심은 나이를 불문하고, 그것이 돈과 관련된 것이라면 관심은 더 커진다. 새로운 도전은 삶에 의미를 가져오고, 젊은이의 도전은 청춘을 더욱 빛나게 한다. 그런데, 여든이 넘은 노인이 그림을 그리는 것만으로는 채워지지 않는 걸까. 노인이 도전하기에는 영위할 수 있는 시간적 여유가 많지 않음에 아쉽다는 생각이 들었다. 노인의 남은여생이 화폭에 군붓질 하는 집착한 삶이 아니기를 바라는 마음 가득했던 하루였다.

제2부

요양원

삶

중세 유명한 성인(聖人)의 이야기다. 어린 시절 늦잠을 잔 성인이 학교에 급하게 뛰어가고 있었다. 그때 한 어른이 “너는 어디를 뛰어가니?”라고 물었다. “학교에 늦어서 뛰어갑니다.”라고 성인이 대답했다. 문답은 이어졌다. “학교에선 무엇을 하니?” “공부를 하지요” “공부를 하고 난 다음에는?” “졸업을 하지요” “졸업을 한 다음에는?” “좋은 직장에 취직을 하지요” “그런 다음엔 무엇을 하지?” “결혼을 하고 아이도 낳아서 행복한 가정을 갖게 되지요” “그 다음은?” “ 아이들 교육시키고…….” “그 다음은?” 이어지는 물음은 행복한 노년과 죽음으로 이어졌다. 그러면 결국 “지금 죽으려고 뛰어가고 있구나!”라는 말씀에 인생의 깊은 깨달음을 얻어 세속적인 삶을 버리고 수도원으로 들어가

성직자가 되었다고 한다. 한 사람의 삶의 방향이 통째로 바뀌는 순간이었다.

삶이란, 원시적인 유기체적 시작과 끝이 있는 삶이 있고, 이성적인 삶이 있는데 이 이성적인 삶을 진화한 삶의 재탄생으로 본다고 했다. 시인은 육체적 탄생보다 영혼이 다시 태어나는 것을 '삶에 의미를 담는다.'고 했다. 우리보다 앞선 세대의 삶은 어쩌면 간단했을지 모른다. 전쟁의 소용돌이와 보릿고개의 궁핍한 생활은 오로지 살아남기 위한 생존의 문제였을 뿐이니까. 그런데 폐허 속에서 급성장한 나라, 문명의 발달과 물질의 풍요로움으로 인간의 정신은 피폐해졌고, 고난의 시대에서 보다 지능적인 흉포한 범죄와 사회문제가 끊임없이 일어나고 있다. 우리나라는 OECD국가 중에서 자살률 1위라는 오명을 얻고 있다. 연습 없이 시작한 삶, 가본 적 없는 고향을 가기 위해 뛰어오르는 연어처럼 본능적으로 직진만 할 줄 알았기 때문일까.

어느 날 문득, 철학자들의 전유물이었던, '왜 사는가' '잘 살고 있는 것일까'라는 삶에 대한 의문이 일었고 궁금증은 더해 갔다. 1등도 못하면서 뛰기만 했던 시간을 뒤로하고 영혼을 정화시킨다는 기도회에 참석하였다. 대낮에 커튼을 내린 지하 방에는 한줄기 불빛이 없고 괴괴한 침묵이 내려앉았다. 두어 시간 눈을 감고 자신을 돌아보며 소중하게 생각했던 것들을 되짚어 보았다. 도요새가 제 부리로 제 깃을 다듬듯이 자신의 생각으로 버려야 할 것과 포기해야 할 것을 쪼아내고 얼룩진 과거의 깃을 다듬었다. 삶의 무게가 한결 정돈되어 가벼워지는 듯했다. 삶의 본질을 연구했던 학자들에 의하면 이를 삶의 일곱 단계 변천 과정 중 여섯 번째인 영적인 삶이라고 했다. 살아가면서 '자신만의 생각할 수 있는 시간'이 필요함을 느꼈던 때였다.

매년 연말이면 사랑의 온도계 캠페인에서도 따뜻한 온정이 나누어지고 있다. 칼국수집 할머니, 연탄장수, 택시기사 등 자신들도 어렵고 넉넉하지 않은 형편에 더 어려운 이들을 위하여 참여하고, 어느 기부자는 익명을 요구하며 평생 모은 재산을 내어 놓았다. 그런데 그의 집 거실 창문에는 한기를 막기 위해 비닐이 덧씌워져 있었다고 하였다. 10년 전, 의사 박준철씨는 150명에게 온몸을 모두 주고 떠났다. 피부와 뼈 혈관 판막 등 인체조직을 모두 기증하였다. 봉사와 나눔을 몸소 실천하고 떠난 우리시대 참의사이다. 인간적인 그의 삶이 오랫동안 감동으로 남았다.

러시아의 대문호 톨스토이가 노년에 약 15년간 심혈을 기울여 쓴 책에 '인생이란 무엇인가'에 대한 고민이 고스란히 녹아 있고, 결국 인간은 사랑을 바탕으로 한 삶의 방향으로 나아가야 한다고 주장하고 있다. 물질적으로 채울 수 없는 영혼, 인간과 세계에 대한 근본 원리와 차원 높은 정신세계에서도 빠지지 않는 것이 남을 배려하고 이웃을 사랑하는 마음이라고 하였다. 고귀한 삶, 세기를 뛰어넘는 사랑의 정신이 울림을 주는 아침이다.

요양원

해질 무렵, 인가에서 떨어진 소박한 건물이 보였다. 산등성이에 현호색 철쭉꽃이 철을 맞아 소담스럽게 피어 있었고, 새들의 지저귐도 들렸다. '○○요양원' 선입견 이어서인지 거리가 가까워지자 멀리서 보이던 것과는 다르게 왠지 썰렁함이 느껴졌다. 이맘때 쯤 이었을까. 장사익의 '어머니 꽃구경 가요' 하는 절절한 노랫소리가 귓가에 들려오는 듯했다. 요양원을 고려시대 유래되었던 '고려장' 이라고 비유하며, 왜곡된 시선으로는 한번 들어가면 살아서 나갈 수 없는 수용소라고도 했다.

언제인가 조간신문의 '독자 투고란'에 실린 글이 생각났다. 3남매 맏이인 장남 부부는 맞벌이라서, 연로하신 부모님을 둘째

아들이 모시고 있었다. 맏며느리는 남편과 함께 주말이면 양팔이 무겁게 효심을 담아 부모님을 찾아뵈었다. 하지만 아직 유교정신이 남아있는 세대에서 맏이의 몫인 부모님을 차남에게 맡긴 죄송스러운 마음은 어깨를 짓눌렀다고 한다. 언제나 돌아올 때는 시동생과 동서에게 고맙고 미안한 마음에 바로 등을 보일 수가 없었다고 했다. 그러다 형제간 고심 끝에 부모님을 요양원에 모셨다고 한다. 그 후 주말이면 3남매가 함께 뵈러 가니 마음이 한결 홀가분해졌고, 동서와 시누이와의 관계도 훨씬 좋아졌다고 하며 요양원의 긍정적인 면을 부각시키고 있었다.

20여 년 전부터 간병사와 의료진이 있는 '요양병원'이 많이 생겼다. 노인복지가 사회복지의 축으로 증진되고 있음을 증명이라도 하듯, 장기적인 요양과 치료를 할 수 있도록 시설을 갖추어 놓았다. 백세시대를 4계절로 나누어 볼 때 내 나이가 가을 후반을 지나고 있다. 늙음이란 누구도 피해갈 수 없는 여정이지만, 늙음으로 인하여 자신의 삶이 누군가에게 짐이 된다면 정말 맞이하고 싶지 않은 나이 듦이다.

십여 년간 요양원에서 생활하던 지인의 남편이 병세가 악화되었다는 소식을 들었다. 노인이 의식이 없으니 문병을 가지 말라는 가족의 만류에도 '생전에 한 번 더 뵙는 것이 인사'일 듯하여 면회를 갔다. 직원의 안내로 삼층으로 올라가자 창가에서 햇살

바라기를 하고 있던 노인 두 분이 물끄러미 방문객을 바라보았다. 병실로 들어가서 환자를 뵈었지만 이미 의식이 없어 기척을 해도 알아듣지 못하였다.

얼마 전, TV특집프로 '요양원의 대변신'을 보았다. 노인의 문제는 우리만의 문제가 아니었다. 일본의 도심형 요양시설 '잇 큐안'은 주택가 한복판에 자리한 2층 건물로 1층은 음식점으로 꾸몄고 2층이 요양원이었다. 건물의 외관은 일본 전통가옥 느낌이지만, 내부 인테리어는 현대적인 세련된 분위기였다. '나가하마 기요미치' 원장은 각다분한 현대생활에서 자녀들조차 부모를 멀리하는 세태, '음식의 맛으로 잡자'였다고 한다. 음식 맛으로 소문이 나면 먹기 위해서라도 사람들이 찾아올 거라는 발상이었는데, 예상은 적중하여 입주 노인과 주민들이 자연스레 어울린다고 하였다. 레스토랑을 운영하여 콘서트를 열기도 하고 노인과 젊은이들이 교류하며 '대가족 사랑방' 같다고 했다. 시설 좋은 곳에서 균형 있는 식사와 문화강좌는 '잇 큐안'에 입주한 친구를 찾아왔다가 하룻밤 묵어가시는 노인도 있다고 했다. 이제 노인문제는 국가나 사회에서 책임을 지든지 스스로 해결해야 할 시대가 왔다.

여름

더위가 기승을 부린다. 기상청은 올해, 기상관측사상 가장 더웠던 2018년 수준에 근접할 것이라고 예보했다. 불과 얼마 전 가락천 변, 논에 정렬되어 꽂힌 모춤들이 어느 사이에 무성하게 자랐다. 마치 조회대 앞에서 교장선생님의 훈화를 듣는 어린 학생들의 발뒤꿈치처럼 보인다. 초록 초록한 벼 포기 사이에서 개구리 소리가 우렁차게 들려오는, 이런 여름날 저녁이면 나는 가슴 아픈 기억 하나가 떠오른다.

스무 해 전쯤 일이다. 이웃에 살던 젊은 부부는 딸아이가 초등학교 다닐 때 자모회의에서 만났다. 다른 이들과 달리 수수한 옷차림에 아기를 업고 온 그녀는 또래의 회원보다 나이가 많은 내게 고맙게 먼저 말을 걸어왔다. 결혼 전에는 도회지에서 학원 강사를 했다는 그녀는 선선한 인상으로 무엇보다 열심히 사는 모습이 내 마음을 끌었다. 속악하지 않고 위아래를 알아보아 정이 가는 사람이었다. 남편은 에어컨설비 기술자였다. 그녀를 남다르게 보게 된 것은, 아침이면 큰아이는 학교 보내고 어린아이를 업고 남편을 따라 현장으로 함께 일을 나가는 것이었다. 젊은 여성이 또 아기엄마가 집안일을 하기에도 시간에 쫓기고 힘이 부칠 텐데 아침이면 아기를 둘러업고 남편과 함께 출근하고 저녁이면 직장인처럼 집으로 돌아왔다.

여름날, 남편이 일하는 현장 한쪽에 아기를 내려놓고 보조역할을 했는데, 엄마 품을 떠난 아기도 공구 옆에서 잘 놀아주었다. 구슬땀을 흘리는 부부를 보면서, 사람들은 왜 이런 무더위에 에어컨 설치를 하는지 안타까운 마음이 들었다. 비를 맞은 듯이 땀을 흘리며 건물 외벽에서 일하는 남편에게 시원한 물과 수건을 건네주고 필요한 연장도 척척 알아서 찾아주었다. '부창부수'라는 말이 잘 어울리는 젊은 부부였다. 그렇게 손발을 맞추어 가다 저녁이 되면 아기를 다시 업고 세 가족이 함께 퇴근하는 모습을 보노라면, 프랑스 화가 '장 프랑수아 밀레'의 '만종'을 보는 듯했다. 가족의 단란함이 진하게 풍겨왔다. 자신 있게 집안의 일과 밖의 일을 하며 남편과 아이들을 당당하게 돌보는 그녀, 멋스런 옷을 입은 어느 여인보다 아름다웠다.

그녀의 시부모님은 아들이 총각 때 벌어온 돈을 한 푼도 쓰지 않고 차곡차곡 모아 놓았다가 결혼과 동시에 아들 내외에게 주었단다. 그것이 토대가 되어 이른 나이에 삼층 건물을 장만하여 토끼 같은 남매와 알콩달콩 깨소금 냄새 나게 살기 시작했다. 그런데 새집으로 이사 한지 얼마지 않아 남편이 아프다는 소리를 듣고 방문을 했으나 병원에 갔다고 하여 만나지 못하고 돌아왔다. 그러다가 얼마 후 세상을 떠났다는 이야기를 다른 이로부터 전해 들었다. 그렇지만 나는 마음이 너무 아파서 차마 가 볼 수가 없었다.

그 후로 그녀를 만나고 싶었지만 나는 그리하지 못했다. 믿기지 않는 상황에 뭐라고 그녀를 위로할 수 있을까. 그리고 열심히 살았던 젊은 부부와 어린 남매의 행복했던 한 가족의 영상(映像)을 갈아 끼우고 싶지 않았다. 시골집 흙벽에 걸린 색 바랜 사진을 보며 지난날을 회상하듯이 그들을 기억하고 싶었다. 짧은 삶을 살다간 젊은이, 이 세상 안타까운 죽음이 어디 하나 둘 이랴만, 젊은 부부의 갑작스러운 변고(變故)는 한동안 충격이었다.

요즈음 백세시대라고 하고 또 주변에서 80노인을 흔히 볼 수 있다. 누구도 피해 가지 못하는 게 죽음이다. 우리 모두 그곳을 향해 다가가고 있다. 하지만 누구나 자기에게는 멀리 있는 걸로 알고 죽음에 대한 이야기하기를 꺼려하며 오늘을 살고 있다.

내 나이, 이순이 훨씬 넘었다. 이제 새로 만나는 사람보다 떠나 보내야 하는 이에게 익숙해져야 할 터이지만, 여름이 오면 젊은 부부의 모습이 아직도 명치끝을 우릿하게 저려온다.

멈춘 시간

"두려움이란 늙음과 인간 삶의 변화와 관련 된 근원적인 감정이다"라고 '마의로코 촐리' 신부는 말했다. 신부님은 노년기에 접어들면서 판단력이 흐려지고 어깨에 힘이 빠지는 것은 나이 듦의 현상이며 누구나 피해 갈 수 없는 자연스러운 과정이라고 했다.

이상한 일이었다. 대체로 무얼 잘 잃어버리지 않았는데 음식물 쓰레기 카드를 어디에 두었는지 모르겠다. 하나를 분실했을 때 사용하라고 준 여유분까지 사라진 것이다. 생각을 멈추고 주변을 샅샅이 훑아보아도 없다. 며칠 후 할 수 없이 관리 사무소에서 재발급을 받았다. 근래 들어 계절 옷을 찾느라고 옷장이며 서랍장을 몇 번씩 뒤적이고, 무난히 하던 컴퓨터 기능을 잊어 버려 버벅 거린다. 그때 마침 TV에서는 47세에 치매가 온 아내를 간병하는 남편의 이야기가 나왔다. 건강 염려증이 앞서는 걸까. 덜컥 겁이 났다. 돌연, 먹고 배설하는 원초적인 일상마저 남에게 의탁해야 하는 노인의 절박한 불안감이 떠올랐다. 며칠 후 가까운 치매센터를 찾아가서 검사를 받아 보기로 했다.

센터 담당자는 비행기, 모자, 연필, 마스크 등 몇 개의 단어를 읽어주고 제시한 순서대로 기억하며 말해 보라고 했다. 사칙연산을 활용한 계산문제를 내고 답을 체크하기도 하며. 오늘은 며칠이에요? 날씨는요? 계절은 무슨 계절이지요? 이렇게 유치원생에게 묻듯이 하고 대답한 내용을 기록하고 체크하더니 '정상'이란다. 걱정했던 마음과 달라 다행이라는 생각을 하고 나오면서도 한 풀 꺾인 자존감은 되살아나지 않았다.

가까운 지인 부부 교사가 있다. 평생 교육자로 살아오면서 비교적 평탄한 생활을 해왔다. 몇 년 전 퇴직을 하면서 부부는 노후의 삶을 쉼과 봉사활동으로 제2의 인생을 설계했는데 남편에게 치매가 왔다고 했다. 계획은 멈춰 버리고, 남편은 옷을 입지 않은 채 복도에 나가 있는가 하면 이를 발견하고 집에 들어오자고 해도 말을 안 듣고 버틴단다. 힘이 어떻게나 센지 경비실 직원에게 도움을 청하여 해결했고 그런가 하면, 잠을 자다 갑자기

아내의 목을 누르며 '죽여 버리겠다'고도 한다고 했다. 치매 걸린 시어머니를 7년 모셨던 경험은 있지만 남편의 그러한 모습은 정나미가 떨어진다고 하며 평소 새침한 모습과 다르게 수수롭게 말했다. 부부로 살아 온 많은 날들의 추억이 아득하게 멀어질 만큼 영혼을 갉아 먹는다며 병의 중대함을 이야기했다. 부부간 유난하게 정분 있던 이들은 아니었지만 오랜만에 보는 나에게 말할 정도로 그녀는 지쳐 있는 듯했다.

'멈춰 버린 시간' 치매는 후천적으로 인지기능이 떨어지고 일상생활에 지장이 생기는 질환이란다. 환자의 증상은 백인백색으로 정답이 없고 보호자가 어떤 성격이냐에 따라 환자의 상태가 달라진다고 했다. 자신과 시공간을 잃어버리는 병, 예전에는 노망이라고 치부하며 타인에게 말하기를 꺼려했는데 이제 사회적인 분위가 많이 달라졌다. 정부 차원에서도 예방을 위한 다양한 프로그램과 조기검진을 적극 권장하고 있다. 통계청은 한국이 2020년에 65세 이상의 인구비율이 14%를 넘어 고령사회에 들어 설 것으로 내다 봤고, 4초마다 한명씩 치매 인구가 늘어난다고 했다. 한번 빠지면 다시 세상 밖으로 나올 수 없다는 치매라는 감옥. 노년에 혼자 힘으로 살 수 없는 기간이 남성은 9년, 여성은 12년이라는 통계도 있다. 혼자 지낼 수 없는 주요 원인 1위가 치매라고 한다.

‘무병 단명이요, 유병 장수’라는 말은 무병을 기대하기 보다는 치유에 관심을 두고 살아야 한다는 말이리라. 우스갯말로 ‘재수 없으면 150세까지 산다’고 하는 시대에 살고 있다. 오늘자 신문에는 모(某)중학교 학생들이 길에서 ‘멈춘 시간’ 속에 있는 치매 어른 모시기 활동을 시연하고 있다.

갈무리

높고 푸른 하늘에 흰구름 덩이가 여러 모양의 그림을 그려 놓았다. 아침저녁으로 느껴지는 한기와는 다르게 낮 햇살이 따갑다. 온통 녹색이던 들녘이 어느 사이에 황금색으로 물들어간다. 가로수 은행나무 우듬지에도 가을이 성큼 내려 와 노란 모자를 씌웠다.

'청주농업기술원'으로부터 도시민을 위한 주말농장을 분양 받은 후, 어린 싹이 자라나는 생명의 기쁨을 느끼며 봄날을 보냈다. 초보 농군은 걸음마를 시작하는 아이처럼 매일 매일이 새로웠다. 예전, 주택에 모아 두었던 오래 묵은 나뭇잎을 옮겨 와 밑거름으로 쓰고 두둑을 고르며 모종을 하였다. 아침 일찍 밭에

나가 풀을 뽑고 김을 매었고, 뜨거운 햇볕 아래 가물세라 물을 열심히 주며, 쌀 씻은 물이 작물 성장에 좋다고 하여 뜨물을 모아 pt병에 담아가서 뿌려 주기도 하였다. '들에 나는 곡식 남이 먼저 안다'고 행여 나의 게으름이 남의 눈에 뜨일까 보아 부지런하게 땀을 흘렸다.

그런데 심지 않은 잡초는 왜 그렇게 빨리 자라는지…. 이웃한 텃밭 주인은 얼굴 한 번 본적 없는데 풀이 먼저 우북하게 자라서 우리 밭으로 넘어왔다. 회원 오십여 명의 모양과 품성이 다르듯이 밭 가꿈의 모양새도 제각각이다. 알뜰주부 한 사람은 EM 농축액으로 벌레 퇴치를 했다. 퇴직하신 선생님 한 분은 비슷한 실력의 초보 농군들과 달리 하우스에서 일찍 시작한 작물에 퇴비를 주고, 고춧대도 삼각형으로 세워주며 정성을 다하더니 고추 수확을 사십 여근 하였단다. 이분은 완전한 농군이 되기 위해 노력을 아끼지 않았다고 했다. 농기구와 건조기까지 갖추고 농작물 재배 강좌가 있으면 빠지지 않고 들었다고 하니, '노력 외 왕도는 없다'는 불역의 진리를 손바닥만 한 텃밭에서 다시 배운다.

나는 초보자가 하기에 가급적 손이 덜 간다는 잎채소는 이미 심은지라 가을걷이는 뿌리 식물인 고구마를 심기로 했다. 조치원 장날 좋은 종자라는 꿀 고구마와 호박 고구마 두 단을 사와 심고, 열심히 물주기를 하였다. 그사이 옥수수는 맛있게 익어갔고, 새벽 밭에서 만난 이웃에게 토마토를 뚝 따서 주기도 했다. 이제 가을이면 고구마를 캘 순서만 남았다. '얼마큼 나올까, 기대에 못 미쳤던 감자 수확을 만회 해야지….' 꿈은 사람을 행복하게 했다. 농산물을 거두어 나누어줄 지인 몇 사람의 명단까지 미리 작성하였고 담을 용기도 준비하였다.

드디어 심은 지 120일이 되었다. 고구마 캘 날을 정하여 대농장의 농부 같은 복장을 하고 자루와 종이상자를 싣고 가족을 동원하여 밭으로 갔다. 날씨가 구색이라도 맞추듯 빗줄기를 한줄금 뿌려 주어 시원하였다. 먼저 넝쿨을 걷어내고 밭둑 위에 앉아 호미를 들었다. 그런데 한 줄기 두 줄기를 파 보아도 신통치가 않았다. 어찌 된 일일까. 난감했다. 세 고랑을 심었는데 주렁주렁 나올 줄 알았던 꿀 고구마와 호박 고구마는 간데없고, 벌레 먹고 지지리 못난 것 몇 개와 살이 통통 찐 굼벵이가 나왔다. 누굴 주고 말 일이 없어졌다. 애초 욕심은 없었다. 그저 소출의 즐거움을 조금이라도 이웃에게 전달해 보고 싶었을 뿐이었는데, 더위에 물심양면으로 들인 공은 어디로 갔단 말인가….

난감해 하는 나에게 숙수그레한 촌로 한분이 말씀하셨다. 긴 장마도 문제였지만 고구마는 토질이 비옥해도 맞지 않는다고, 노인의 말을 들으면서 노력해도 되지 않는 일이 있다는 것을 알았다. 고구마를 처음 심어 본 것은 아니었다. 몇 해 전, 시누이님 과수원 밭에 고구마를 심었다. 그때는 심어 놓고 두어 번 가 보았을 뿐이었는데 수확물이 제법 많았다. 사무실 직원은 물론 이웃까지 나누어 주었다. 농사의 '농'자도 모르면서 봉사 문고리 잡듯 어설픈 경험이 농사의 전부인 줄 알고 갈무리를 하려고 했던 텃밭 위에도 구름은 흘러갔다.

점프스타트

나의 차 콘솔박스에는 올드 팝송 음원 몇 장이 있다. 추억의 팝송을 비롯하여 작고한 코미디언 이주일씨가 특유의 엉덩이춤을 추며 즐겨 부르던 음원도 있다. 아침이면 유머러스한 몸짓으로 '수지 큐(suzie Q)'를 부르던 모습을 떠올리며 세상을 향해 나간다. 경쾌한 리듬의 음원을 장착한 이유는 가벼운 동작으로 밤사이에 잠자고 있던 신체를 깨우기 위함이다.

오래전 일이다. 도로 교통공단 충북지부에서 여성 운전자를 위한 교육이 있었다. 자동차에 관한 부품이나 위급 시에 대처할 수 있는 내용이어서 꼭 필요한 교육이라 생각하고 다음 회 차에 수강하려고 했는데 왠지 강좌가 없어졌다. 삼십오 년 전, 뒷좌

석 넓은 창에 남편이 그려준 노랑병아리가 걸음마를 하는 그림을 붙이고 초보 운전자임을 알리고 다녔다. 그 표식을 떼고, 차를 몇 번 바꾸면서까지 아직도 잘하지 못하는 운전 실력이다. 자동차의 기능이나 부속품의 이름 하나 제대로 알지 못하고 돌발 상황에서 아무런 응급조치를 할 수 없는 초보 신세. 그래서 좁은 길을 가다 되돌아 나오지 못했거나 겨울철 빙판 위를 가야 할 때, 또는 갑자기 차에 문제가 생기면 커다란 무기를 갖고 다닌다는 두려움이 있기도 하다. 차량 소지자가 알아야 할 기본적인 설명이라도 들어야겠다고 몇 번 별렀지만 실천에 옮기지 못했다. 폭설이 내린 어느 겨울날 아침, 일찍 출근하려고 했는데 차에 시동이 걸리지 않았다. 그때의 난감함이라니 ….

결국 서비스 기사가 오고 점프스타트를 하여 위기를 모면했다. 운전자 교육의 절박함이 느껴지고 느껴지던 순간이었다.

때로 사람에게도 자동차의 배터리가 방전되듯이 느슨해진 얼레의 처진 실처럼 될 적이 있다. 일상의 방향키를 놓아버리고 무기력함에 빠져 들면 점프스타트를 하듯이 누구인가 '반짝' 새 기운을 넣어 주었으면 하는 생각을 하게 된다. 그럴 때, 나는 스스로 발열을 위해 발바닥의 용천혈을 누르거나 간단하게 스트레칭을 하며 또는 몸의 열기를 얻기 위하여 대중목욕탕을 찾기도 한다. 온탕에서 물에 푹 전신을 담그고 있으면 꽉 조였던 머릿속과 온몸으로 따뜻함이 전해온다. 체온에 따라 면역력이 증감한다더니 한결 정신은 맑아지고 몸은 개운해 진다. '아드레날린'이란 호르몬의 작용이어서 일까. 척추동물에게 분비되는 염기성 물질이라는 이 호르몬은 혈액순환을 촉진시키고 혈당량을 증가시킨다고 한다. 열기를 받아 공중으로 떠오르는 풍등처럼 삶의 무게가 훨씬 가벼워진다. 마치 인체를 발열시킨 점프스타트처럼.

하루를 시작하는 아침이면 넓게는 세계, 가깝게는 이웃을 만난다. 언제나 지면을 장식하는, 새 소식은 사회 여러 분야에서 선행을 하였거나 남다른 노력의 결실로 칭찬과 포상을 받는 이들이다. 환한 얼굴로 웃고 있다. 주목을 받거나 누군가를 응원을 받는다는 것은 힘의 원동력을 얻는 것과 같다. 보아주는 이가 있다는 것도 사람을 키우는 밑불이다. 박수소리에 당겨진 불꽃은 넓은 세상을 향하여 더 높이 떠오른다.

혹, 바라보아 주는 이가 없어도 스스로의 행동이 잘했다고 느껴질 때 마음 깊은 곳에서 올라오는 자신만이 아는 뿌듯함이 있다. 이 또한 발열의 기운이 아닐까. 자가 발열은 스스로를 충전하는 불씨가 되기도 한다. 자신의 불씨가 타인에게 전해져 불꽃이 된다면 얼마나 좋을까. 무릇 성공한 사람들의 공통점은 어떠한 환경에서도 끊임없이 자가 발열을 잘했다는 거다. 문득 예전에 지인의 사진전에서 보았던 기억에 남는 사진 한 장이 생각난다. 90세이신 할머니가 수영을 배우는 모습이었다. 물 위에 뜨기 위하여 두발에 힘을 모아 번갈아 물을 차내는 발끝에서 나는 또 다른 점프스타트를 보았다. 그리고 그 발끝은 나에게 물었다. '저물녘 강가에서 노을을 보았느냐' 고….

죽음 계획

'매일매일 죽음이 계획에 들어가게 살자' IT계의 천재, 스티브 잡스가 남긴 말이다. 존엄한 죽음, 웰 다잉에 관해 생각해 본다. 서양인들은 웰 다잉 하는 것이 웰빙을 완성하는 것이라고 생각하고 이미 죽음에 대한 연구를 활발하게 해 왔다고 한다. 매주 월요일마다 부검을 진행하는 법의학자 유성호님도 '웰 에이징(well aging)−한 사람이 태어나서 죽음에 이르기까지 스스로 준비하고 논의'하는 사회가 되어야 한다고 했다.

삶의 계획이 중요하듯이 죽음 계획 또한 중요하다고 하며. 요즈음 우리 사회에서 죽음을 낯설지 않게 듣고 체험까지 하는 기회가 여러 곳에서 이루어지고 있다. 죽음은 먼 곳에 있는 것이 아니라 가까운 곳, 옆집, 우리 가족에게도 있다는 것을 알고 가족끼리 앞으로 닥칠 죽음에 대하여 어떻게 준비해야 하는지를 이야기하는 거란다.

천년고찰 '영국사'가 있는 천태산 기슭에서 해마다 중학교동창회를 연중행사로 하고 있다. 모이는 사람들은 오십 년 지기다. 그날이 오면 고향을 지키는 친구들은 외지에서 오는 친구들에게 주연(酒筵)을 만들며 무대를 장식하고 과꽃, 찔레꽃 이름 모르는 풀과 들꽃을 화병 가득 꽂아 놓는다. 그중에 맏이처럼 굼뜬 뜬 하게 오고 갔던 그는 1박2일의 동창회를 마치고 돌아오려는 나에게 딸아이 주라며 포도의 계절에는 청포도를, 가을에는 직접 농사를 지었다며 고구마를 차에 실어 주었다.

한때 건강이 나쁘다고 이야기는 들었지만, 그 후 두어 번 보았을 때 세월이 흘러간 잔상 외에 별다름이 없어 그만한 줄 알았었다. 그러던 그가 죽음계획을 했을까. 봄에 어머니를 먼저 보내 드리더니, 이제는 본인이 세상을 버렸다고 동창회 총무로부터 연락이 왔다. 친구들이 하나둘씩 옛사람이 되어간다는 먹먹한 마음으로 조문을 하고 왔다. 그동안 그 길은 오롯이 혼자 가는 길 임을 여러 번 목도 했지만 친구 역시 철저히 외롭게 홀로 갔다. 성당을 다녀온 아내가 이미 의식 없이 쓰러진 그를 발견하고 병원으로 옮겼다고 했다.

오래 전에 영정사진을 찍고 왔다는 친정 큰 오라버님의 말씀에 화를 낸 적이 있고, 며칠 전에는 동년배인 초등학교 동창으로부터 자기가 들어갈 가묘 자리를 보고 왔다는 말에 기가 차기도 했다. 남의 일만 같던 이야기가 내 옆으로 다가온다는 우울한 기분을 떨칠 수가 없다.

대구 의료원 호스피스 병동을 책임지고 있던 의사가 '죽기 전에 더 늦기 전에'라는 책을 냈다. 5년간 병동에 근무하면서 암환자 800명에게 사망 판정을 내렸다는 그는 '우리가 한번 가야 할 죽음을 더 늦기 전에 알아야 한다'고 말했다. 준비 없이 찾아온 죽음 앞에 화를 내며 분노하는 이가 있는가 하면, 어느 환자는 몇 날을 슬프게 울기도 한단다. 굳이 죽음을 생각하면서 '오늘을 살 필요가 있느냐고, 죽을 때가 오면 죽으면 되는 것이 아닌가?' 하지만, 그는 자신의 마지막을 생각하면 삶의 태도가 달라진다고 하였다. 죽음을 배우면 죽음이 달라지는 것이 아니라 삶이 달라진다고 했다.

누구나 자기 의지와 관계없이 시작된 삶, 인생을 설계 했지만 죽음은 스스로 계획하고 마무리를 해야 한다고 말했다. 듣고 보니, 어느 날 갑자기 온 죽음 앞에 갈팡질팡하는 것보다는 나을 수 있겠다는 생각이 들었다. 고인이 될 본인이 죽음 계획에 동참하면서부터 달라진 문화가 있다고도 했다. 때로 살아있는 이들의 체면 때문에 남에게 보이기 위한 소모적 장례 문화에서 고인의 뜻에 따른 한결 간소하고 예비 된 마지막 길이, 장례 후에 남은 자들의 삶도 훨씬 편안해지고 있다고 했다.

순정함이 있던 친구는 미처 성취시키지 못한 자녀들 때문에 가는 발걸음이 가벼울 수만은 없었으리라. 화구에서 막나온 아직 따뜻한 뼛가루, 시신이 견뎌낸 엄청난 불길 속에서 그는 '세상사 아무것도 아닌 것을' …. 하고 말했을 것만 같다.

제3부

역사

꽃 이야기

따사로운 봄기운이 돌자 겨우내 꽃병에 있던 마른 꽃을 걷어 버리고 작은 화분 하나를 사 왔다. 노란 바이덴스 꽃이 풍기는 은은한 향이 온 집안에 그윽하다. 꽃을 좋아하면서도 나는 잘 가꾸지를 못한다. 이런저런 활동을 하다 보니 행사가 끝나면 선물로 들어온 화분들이 마당 가득했던 적이 있다. 그런데 겨울이 몇 번 지나고나니 빈 화분은 늘어갔다. 몇 개 남지 않은 화분을 보고 늦은 정을 붙이려 마음먹고 꽃 가꾸는데 정성을 들여 보았다. 그런데 과유불급(過猶不及)이었을까. 지나친 관심으로 낭패를 보기도 했다. 한번은 육묘 장을 지나다 쓰레기더미 위에 화분 채 버려진 동백꽃나무를 주워 와서 상가건물1층 화단에 심고 정성을 들였다. 그랬더니 기운을 차리고 꽃망울을 알알이 맺는 거다. 그 정도에서 나의 동작이 끝났어야 했는데…. 6층에 사는 내가 입출 시에만 보기에는 아까웠다. 예쁜 꽃, 내가 살려 놓은 꽃을 가까이 자주보고 싶었다. 큰 화분에 옮겨 심고 현관 앞에 놓았다. 아뿔싸! 그런데 기대와 달리 날이 갈수록 시들어 가는 게 아닌가. 그것을 보며 나의 무지와 욕심을 얼마나 자책했는지 모른다.

'명화를 만나다'란 주제로 '한국 근현대 회화 전'이 열리고 있는 국립 현대 미술관 덕수궁을 찾았다. 미술관은 덕수궁 안에 있다. 작가 유족, 소장자 특별 관람을 하고 명화 100선에 핀 꽃들 앞에 섰다. 연일 추운 날씨가 계속되었지만 그림 속에는 꽃들이 활짝 피어 있었다. 김환기의 '영원의 노래'에서 창가에 고개를 살짝 내민 매화가 팝콘 닮은 봄을 피우고 있고, 꽃과 영혼의 화가 천경자의 그림 '길례 언니'가 쓴 모자 테두리에는 장미가 화려하게 그려져 있었다. 회색빛 그레타 가르보의 얼굴이 있는 '청춘의 문'에는 그림 아래쪽에 백합 종류의 꽃들이 만발해 있고, 이중섭의 '길 떠나는 가족'에 달구지를 끌고 가는 황소 등에도 분홍색 꽃이 꽂혀 있었다.

미술관에는 '들꽃' 이라는 이름으로 그려진 그림도 여러 점이 있었다. 야생화에 관심이 크지 않았던 1970년대 작품이다 보니 꽃 명이 없어서 그렇게 붙였을 것으로 짐작이 된다. 작품속의 꽃을 보며 덕유산 자락에 무리 지어 피어있던 원추리 꽃의 진경이 떠올랐다. 망우초(忘憂草)라고도 불리는 이 꽃은 어린순이 나오면 나물로 먹기도 한다. 펼쳐진 잎이 자라 골이 파인 잎줄기가 생기면 여러 개의 꽃대를 세우고 칠팔월에 꽃을 피운다. 생장이 빨라 밤새 연한 녹색의 잎이 뾰족하게 올라와 있기도 하고, 번식력이 좋아 몇 포기만 심어도 화단을 화사하게 만들어 준다.

흔히 꽃을 연약한 여인에 비유하기도 하고, 성숙한 여성의 아름다움을 꽃으로 상징하기도 하였다. 그런데 도슨트(전시 해설사)의 설명을 들으니 꽃은 단순한 꽃이 아니었다. 일제 강점기 말 한용운의 시 '해당화'에서 영감을 얻었다는 이인성의 '해당화'에는 해방의 염원을 담았고, 박경리의 대하소설 '토지'에서는 주인공 서희가 해당화 가지를 휘어잡고 주저앉아 해방의 감격을 표현했다. 미얀마의 독립 운동지도자 아웅산 수지여사는 일흔 살의 주름진 얼굴에 긴 머리를 뒤로 묶고 머리띠에 생화를 꽂고 있었다. 군부독재에 단호히 맞서되 폭력을 거부했던 그의 의지를 꽃에 담았다고 한다. 나라의 독립과 민주주의를 향한 열망의 꽃은 나약하지 않았고 아름답기만 한 것도 아님을 알려 주었다.

거실 한쪽 벽면을 채우고 있는 그림을 본다. 다산(多産)의 의미를 담아 화가인 친구가 보내준 그림이다. 이 그림을 처음 대하듯 천천히 음미해 본다. 우리 집에 온지 꽤 되었건만, 바쁘게 살다 보니 감상할 시간이 없었다. 그런데 미술관을 다녀온 후, 여유를 가지고 보니 새삼 소중하게 다가온다. 꽃의 계절이다. 아침 일찍 '톡'하고 꽃 이야기가 날아왔다. 반가운 마음에 얼른 열어 보았더니, 원추리 꽃이 날아왔다.「그대 오는 길목 향해 까치발 목을 빼어 나팔 귀 쫑긋 세워 발짝 소리 기다리던…」오늘은 원추리 꽃의 날 이란다.

역사

3.1절 아침이다. 동이 틀 무렵, 경건한 마음으로 나라를 위하여 순국하신 영령들을 기리며 게양대에 태극기를 꽂았다. 지나는 바람에 태극기가 휘날린다. 흰색 바탕천에 하늘, 땅, 달과 물, 해와 불을 상징하는 건곤감리 4괘가 둘러있고, 중앙에 만물의 근원이 된다는 청홍색 태극무늬가 있다. 지난해는 대한민국 임시정부수립 100주년을 맞이하는 해였다. 많은 기념행사가 곳곳에서 열렸는데, 101년 되는 올해는 1년 전의 모습과는 대조적이다. 나라 안팎이 세상을 공포 속에 몰아넣은 코로나19 전염병의 확산방지를 위해 행사가 축소되거나 취소되었다.

작년 3.1절 날이었다. 텔레비전에서 유명한 역사학자의 강의를 듣게 되었다. 타래에서 실이 풀려 나오는듯한 역사 이야기에 매료되어 빠져버렸다. 언젠가 한유한 시간이 오면 꼭 공부를 해 보리라 마음먹었던 터라 더욱 관심이 간 것 같다. 공교롭게 임정100주년이 되는 해 아닌가. 이때다 싶어 책장의 역사책을 펼쳐 들었다. 학창시절 책상 앞에서 보낸 역사 공부 시간에는 무엇을 했는지, 하얀 백지 같던 머릿속으로 파스텔 물감처럼 은은하면서도 선명하게 역사가 들어왔다. '아는 만큼 보인다.'고 했는데, 관심을 갖고 보니 새롭게 들리고 조각으로 흩어져 있던 기억이 되살아나며 이해가 되었다. 역사의 뒤안길에서 알려지지 않은 이야기가 있을 때는 재미있기도 했지만, 일제 강점기 망국의 설움에는 숨이 멎을 듯한 아픔이 느껴졌다. 이역만리에서 풍찬노숙 하며 떠돌던 항일 운동가들의 고된 여정은 상상할 수도 없다. 빼앗긴 나라를 되찾으려고 자신의 일생을 초개같이 버린 독립 운동가들, 그분들의 희생이 오늘 우리에게 이 나라를 있게 했으니 새삼 가슴이 뭉클해져 왔다.

고려 500년, 신라의 1000년 왕조는 세계사적 유래가 없는 역사이었고, 세력을 넓히려고 부인을 스물아홉명이나 얻었던 왕건. 윤봉길의 홍커우 공원 거사 전에 모던보이 이봉창의 실패는 조연이 주연을 있게 한 결과였다. 1943년 카이로 회담에서는 식민 지배국80%중 최초의 독립을 보장받았다는 것과 엄혹한 시절 일제의 만행 앞에서도 굴하지 않았던 기상과 용맹의 사나이 박열, 투철한 민족정신에 감명 받은 일본 여인과의 로맨스. 또 박열을 위해 목숨을 걸고 변론을 했던 후세 다쓰지는 국경을 초월한 인권변호사였다. 독립운동가 33인의 민족대표는 나라 뿐만이 아니라 우리말과 글을 지키려고 언어독립 투쟁위원회도 만들었다. 한글학자 이극로의 결정적인 역할. 영화 '말모이'에서 보여준 내용은 그 일부분임을 알게 되었고, 유태인들이 결코 멸망하지 않은 이유도 히브리어인 자기네의 말과 글을 지켰기 때문이었다. 순국열사 홍범식은 경술국치에 통분을 이기지 못하고 자결했다. 자식에게 결코 친일을 하지 말며 나라를 되찾으라는 유언을 남겼고, 아들인 벽초 홍명희는 끝내 변절하지 않았다. 암흑의 시대, 민족운동의 구심점이 되었던 천도교. 임시정부의 국무위원이었던 조소앙은 '역사를 잊은 민족에게 미래는 없다'고 하였다.

책장을 넘기며 가슴에 파도가 일렁였다. 이 감동의 파장을 나누고 싶었다. 마침 학부 때부터 해오던 과(科)모임이 며칠 뒤에 있다. 격월로 하는 만남이라 특별한 주제가 없던 차 그날 이야기를 하려고 마음먹고 준비를 하였다. '임시정부수립 100주년 기념'으로 내용을 정리하고 참석 인원수만큼 인쇄를 해 갔다. 그리고 독립 운동가 몇 분과 그들의 활약상을 담은 A4용지를 각각 나누어 주며 짧은 설명을 곁들였다. 그랬더니 회원들은 의외로 무척 좋은 반응을 보이며 엄지손가락을 펼쳐 '최고!' 라는 찬사까지 표했다. 오늘 아침, 창밖 바람에 펄럭이는 태극기에서 역사 속 만주벌판을 달리던 선구자들의 함성과 말발굽 소리가 들려오는 듯하다.

익숙함의 평안

가을이 뚝뚝 떨어지고 있다. 어느 계절보다 기온의 변화가 크고 빠르게 진행되는 가을이 오면 추위를 잘 타는 나는 장롱 속에 있는 솜이불을 꺼낸다. 어린 시절 아랫목에 깔린 솜 포대기는 시린 손을 녹여주는 따듯함이 있었다. 언제나 이맘때쯤이면 어머니는 광목에 풀 먹여 손질한 새 이불을 꺼내 덮어 주셨다. 새 이불은 버스럭거리는 소리가 났고 떠 있는 느낌이 들었다. 특히 오빠 동생과 함께 잠자리에서 이불 싸움을 할 때 손에 잘 잡히지 않아서 싫었다. 그런데 잠재되어 있던 익숙함이었을까. 언제부터인지 내가 이불 홑청에 풀을 먹이고 있었다.

주택에 살던 어느 날 옥상에서 동갑내기 이웃을 만났다. 빨래를 널던 그녀가 풀 먹인 이불 홑청을 걷고 있던 내게 “보기보다 촌스럽게 산다."고 말했다. 그것은 아직 침대를 사용하지 않는다는 것과 이불 홑청을 손질한다는 나의 말을 듣고 한 말이다. 세 칸인 방 모두를 침대로 꽉 채우기 싫어서 안방은 내 마음대로 요를 깔고 이불을 덮는 생활을 해왔다. 홑청을 시치다 바늘에 찔리기도 하는 서툰 살림 솜씨에도 불구하고 손이 많이 가는 이 일을 습관처럼 했다. 그건 깨끗하게 손질된 이불에서 나는 풀 냄새가 좋았고 발끝에 닿는 가슬가슬 한 감촉은 수고로움을 상쇄하고도 남았다.

수년 전 침구류와 관련된 사업을 하는 지인 덕분으로 혼수를 장만하듯이 이부자리를 모두 교체했다. 납작해져서 포근한 느낌이 없는 솜을 햇 목화솜으로 이불과 요를 만들고 베개 속에는 새 메밀껍질을 넣어 보강하였다. 잘 말린 들국화 꽃송이를 넣은 베개에서 맡아지는 향기는 나를 행복한 잠속으로 빠져들게 했다.

그런데 2년 전 아파트로 이사 온 뒤 나를 행복하게 했던 이불과 요의 필요성이 많이 떨어졌다. 아파트 문화라는 것이 일단 우리 집과 같은 장롱이 아니고 그 속에 켜켜이 쌓은 이불도 없다. 내게 그토록 평안함을 주었던 이불과 요가 꿔다놓은 보릿자루같이 생뚱맞아 보였다. 같은 사물이라도 장소에 따라 이렇게 느낌이 달라질 줄이야…. 새집을 짓고 몇 달 발품을 팔아 장만한 장롱과 이불 그리고 한 박자 느린 사용자는 촌스러운 3종 세트가 되었다.

뜻밖의 사고로 보름 가까이 병원 생활을 하다 집으로 돌아왔다. 담당 의사는 낮은 자세로 엎드려야 하는 방바닥 생활보다 적당한 높이의 침구사용이 좋다고 하였다. 그래서 인근도시 백화점을 순례해 보았지만 결정하지 못했을 때, 딸아이는, **박사가 연구 제작한 매트리스라며 솔향기 폴폴 나는 프레임을 맞춰 사왔다. 첫날은 새로운 기분에 젖어 몰랐다. 그런데 며칠이 지나자 잠자리가 불편했다. 오른쪽 왼쪽으로 뒤척이며 잠을 자고 나도 몸이 찌뿌둥하고 피로가 풀리지 않았다. 처음에는 '수맥일까' 생각해 보았지만 예전과 똑같은 위치라 그럴 리 없다. 며칠 지나면 익숙해지리라 기대 했지만 나아지지 않았다. 나름 "거금을 들였다"는 딸아이의 성의를 봐서라도 적응해야 했고, 까다로운 아이처럼 보일까봐 참아보려 했으나 안 되었다. 그렇게 한 달여가 지나갈 즈음 도저히 참을 수 없어서 한밤중에 일어났다. 장롱의 요를 꺼내 매트리스 위에 펴고 누웠다. 옥상옥이 따로 없었다.

그런데 이튿날 이상하리만치 전신이 편안했다. 오랜만에 숙면을 하고 나니 정신도 맑고 몸도 개운했다. 언젠가 TV에 출연한 정신과 의사가 한 말이 생각났다. 상처한 그에게 방청객이 "왜 재혼을 안 하느냐"고 물었다. 그랬더니 "익숙해지기 어려워 못 한다"하고 대답했다. 사람이고 사물이고 익숙해진다는 것은 쉬운 일이 아니다. 그런데 익숙해지면 또 그보다 편할 수가 없다. 다시 누가, 좋은 주거환경에서 촌스럽게 산다고 해도 어쩔 수 없다. 나는 이대로 익숙함의 평안을 즐기리라.

중독

어느 의사가 말했다. "인생이란 중독이며 매순간 무언가에는 중독되어 산다." 라고. 얼마 전 제네바에서 열린 세계보건기구(WHO)가 '게임중독'을 질병으로 분류했다고 한다. 중독이란 다른 말로 '집착' 한다는 뜻으로 이해되기도 하고, 게임 외에도 술, 약물 중독 등이 있다. 간혹 화투, 사이비 종교에 빠진다는 말도 '중독'이나 '집착'과 같은 뜻으로 풀이하여 생각하기도 하는데, 한마디로 중독이란 스스로 통제능력을 상실한 것이리라. 요즘에는 SNS 중독이란 말도 생겼다. 어느 나라 통치자는 사랑에 빠져 역사를 바꿔 놓았고, 어떤 이는 건강을 위한다고 몸에 좋다는 음식에 집착하여 오히려 건강을 해쳤다는 보고도 있다. 한때 나는 취미로 소품수집에 집착하였던 적이 있다. 세계의 유명 술

병을 구하러 서울을 오르내렸고, 또 한 번은 신문 읽기에 빠져 읽지 못한 신문은 한 장도 버리지 못 한 채 손가방이 미어지게 넣고 다니며 읽었다. 이런 것도 중독의 일종이라면 억지일까.

맑고 화창한 날, 가깝지 않은 지인인 그녀가 활짝 핀 모란 꽃무늬 원피스를 입고 나의 사무실 문을 열고 들어왔다. 백화점 종이 백을 들고 있는 걸 보니 방금 백화점 버스에서 내린 게 분명했다. 이내 그녀는 옷가지를 꺼내 보이며 자랑을 한다. '집안 동생에게 선물하려고 샀다'고 하며 두어 개를 보여주었다. 그러면서 자기는 모(某)백화점의 vip 고객이라 백화점 측에서 가끔 여행을 시켜주고, 맛 집에서 맛있는 음식으로 대접도 해준다고 말하며 상위고객으로 vvip가 있고 최상급인 재스민 고객 vvvip도 두 명이나 있다고 했다. 그녀의 이야기를 들으면서 세상에는 눈에 보이지 않는 오(伍)와 열(列)이 많다는 걸 알았다.

그녀는 늘 백화점의 특별 고객임을 자랑스러운 듯 이야기하였고, 그날그날 무엇을 샀는지 보여 주기도 했다. 지인에게 카드를 빌려주면서까지 매출액을 올려 준다고 하며 그렇게 해야 특별고객의 품위를 유지할 수 있다고도 했다. 어느 모로 보아도 결코 명품이 아닌 그녀는 국내외 명품 이야기를 즐겨 했고 시간 날 때마다 백화점에서 주로 시간을 보낸다고 하였다. 쇼핑을 하고 문화센터 강좌도 듣다 저녁때쯤 돌아올 때는 얻어온 커피를 주기도 하고, 사은품으로 받아 온 소품을 놓고 가기도 했다. 그녀의 이야기를 듣다 보니 미지의 세계가 궁금해졌다.

맹자가 '그가 거처하는 환경이 그로 하여금 그렇게 만드는 것이다'라고 말했듯이, 나는 차츰 새로운 세계에 빠져 들어갔다. 그즈음 아파트 정문 옆, 상가 일번지에 사무실을 둔 나는 보조원으로 남녀 한 명씩을 두었다. 그중 한 명의 여성 보조원이 날이면 날마다 화사한 옷으로 맵시를 내고 출근하는 것도 내가 백화점을 들락거리게 한 이유 중의 하나가 되었다.

주택가에서 사무실을 운영할 때와는 달리 중산층이 고르게 사는 아파트 주민의 안목에 맞게 옷차림에 신경을 써야 했으니. 나이 육십이 넘도록 간편한 복장을 즐겨 입던 내가 야시시한 블라우스를 사고 샤랄라 한 주름치마도 샀다. 사고 또 사고 급기야 나도 vip고객이 되었음에 스스로 놀랐고, 더 놀라운 일은 그곳에 vip휴게실이 있어서 안내를 받고 갔던 일이다.

쇼핑을 하다 피로하면 고요한 음악이 흐르고 있는 휴게실에서 휴식을 취하며 다과와 음료를 서비스 받았다. 몇 시간을 발이 아프게 돌아다니다 어쩌다 옷 한 벌을 살 때와는 차원이 다른 세상이었다. 주차관리도 직원이 해주었다. 쇼핑을 마치고 나오면 직원이 차키를 넘겨주고 또 어디선가 차를 찾아다 주기도 하였다. 2년여를 그렇게 계절마다 '특별고객전'이라는 안내문이 날아왔다.

우리나라는 한때 경제발전의 일환으로 경기침체를 벗어나려고 기업가들은 소비촉진 운동을 벌였다. '소비가 미덕'이라며 소비를 권장하고 금융권에서는 기준금리를 낮춰 주기까지 했다. 그때 낭비 풍조가 생겼는지 모르겠지만 가끔 돈 씀씀이가 크고 돈을 쉽게 잘 쓰는 사람을 만나면 멋져 보이기도 했다.

그런데 지난주 조간신문을 읽던 나는 사회면에 낯익은 모(某) 백화점에 관한 기사가 눈에 '확' 들어 왔다. 연매출 억대를 올려주는 백화점의 재스민 vvvip고객이 점주와 고객의 돈 수십억 원을 사기치고 달아났다는 것이다. 3년 동안 월 매출액 3천만 원을 올려 주었다는 여인은 지인들에게까지 옷 선물하기를 즐겨했다고 한다. 들리는 말로는 그 여인이 운전기사와 또 다른 여인 한 명을 대동하고 출동하는 날이면 백화점의 최고 책임자까지 나와 인사를 하였다고 하니, 상·하 직원들에게 특별한 대우를 받으며 여인이 누렸을 호사가 눈에 보이는 듯했다.

어쩌면 회사는 여인만을 위한 휴게실을 제공했을지도 모른다. '억'을 좋아하던 그 여인의 신분은 하루아침에 급락(急落)하고 온갖 예우를 다했던 백화점 측은 쫓는 자로 변했다. 최상급의 고객인 여인은 쫓기는 자가 되었고 피해자가 누구인지 밝히지도 못하며 쉬쉬하던 며칠이 지나갔다. 저녁 뉴스에 '그녀가 잡혔다'고 한다. 전과 3범이란다. 여인은 중독자였다.

이사

찬바람이 조금 누그러졌나 보다. 크고 긴 이삿짐센터의 사다리차가 동네 좁은 골목길을 막고 서 있다. 내가 살고 있는 집주변에 젊은 사람들이 선호하는 원룸이 차츰 늘어 가더니 하루가 멀게 짐이 내려오고 올라가는 모습들이 연출되고 있다. 몇 날이 지나면 더 빈번해질 거다. 본격적인 이사의 계절은 봄과 가을로 나뉘는데 봄에는 2월 말이나 3월에 많이 한다. 하지만 부동산가의 이사 철은 그보다 일찍 온다. 새해 1월 중순이 지나면 집을 사거나 방을 임대 하려는 이들이 찾아오기 시작한다. 그때쯤 계약이 이루어져야만 한 달 정도 기간이 지난 후 이행(履行)하기 때문이다.

공인중개사로서 30여 년 세월을 보내다 보니 의뢰인의 첫 모습과 계약과정을 보면 그 사람의 삶의 자세를 어림잡아 볼 수 있다. 그리고 이삿짐만 보아도 주인을 만나거나 본 적이 없음에도 살림의 규모나 연령, 취미를 짐작할 수 있다.

잘 닦여진 여러 개의 항아리들이 올라가는 집은 항아리마다 추억을 꼭꼭 담아 놓았을 중년의 주인임을 헤아려 보고, 장난감이 많으면 어린아이를 키우는 젊은 세대임을 알 수 있다. 이삿짐에 새 물건이 많으면 신혼부부일 가능성이 높고, 오래된 물건인데도 반질반질하게 손때가 곱게 묻은 살림이면 집주인의 알뜰함이 그대로 보인다. 울멍줄멍 어수선하게 싸 온 이삿짐을 보면 집주인은 몹시 바쁜 사람일 거라는 생각을 해 보기도 한다.

세간살이란 한 가족의 삶이 그대로 녹아있기 때문이리라. 지금까지 보아온 수많은 이삿짐 속에서 가장 기억에 남는 물건 하나가 있다. '자녀를 위한 기도' 라는 글귀의 붓글씨 액자다. 나는 그때 그 집의 아이들이 바르게 자랄 것을 예견했다. 세월이 흐른 지금 예견대로 그 아이들이 곧게 자라 결혼하고 그 부모 모습처럼 한 가솔을 잘 거느리는 어른이 되어 있다는 이야기를 들었다. 또, 어떤 이삿날이었다. 인계인수과정에서 매도인과 매수인이 충돌하는 일이 생겨서, 짐을 잔뜩 실은 이삿짐 차가 되돌아가는 진풍경이 벌어지기도 했다.

예전의 이사풍경은 양가 집안사람들이 모이는 행사였다. 우선 집을 정하면 이사하기 좋은 날을 잡고 외지에 사는 친인척에게 알린다. 시골에 계시는 시어머니는 잘 다려 입은 한복을 입고 올라오시고 친정대표로 오신 아버지는 이사현장의 감독처럼 진두지휘했다. 이웃에게는 김이 풀풀 나는 시루떡을 돌리곤 하였는데 요즘에는 보기드문 일이 되었다. 그리고 이사하는 집의 짐도 많이 줄었다. 아파트는 장롱과 주방기구가 비치되어 있어 입주할 때 새살림을 장만하지 않아도 되고, 원·투룸 생활자들은 사실 옮겨야 할 살림살이가 별로 없다. 트럭에 켜켜이 쌓아오던 짐과는 다르게 이사비용이 절감되는 장점이 있기는 하다.

이사는 대체로 살던 집보다 점차 넓은 집으로 옮겨가는 일련의 과정이지만 반대인 경우도 있다. 그리고 보통 사람들이 일생에 몇 번 겪게 되는 일이다. 이사하는 날, 공인중개사는 의뢰인 못지않게 바쁘다. 서류상 하자는 없는지, 이사하는 집의 상태는 온전한지를 확인한다. 이제 주택은 소유의 개념에서 거주의 개념으로 바뀌어 가는 것을 현장에서 경험하면서, 이사가 순조롭게 진행되면 우리의 일도 끝나고 봄을 맞이한다. 아무튼 이사는 인생의 한 단면이다.

쓸모

아직 코끝에 닿는 바람이 차갑게 느껴지던 날 이른 새벽 큰시누이의 부고 전화를 받았다. 전화기를 내려놓으며 먼저 떠오른 생각은 시누이님이 사시던 아파트 베란다였다. 넓지 않은 공간에는 박물관처럼 대나무 소쿠리, 광주리, 체, 키와 목기 등이 겹쳐 있거나 쌓여 있었다. 슬하에 두 아들을 두었지만 키를 쓰거나 체로 걸러 낼 일이 없는 시대, 쓸모 있었던 멀쩡한 세간들이 주인과 함께 버려질 것을 생각하니 세월의 무상함이 느껴졌다.

아침이면 논밭으로 나가 한낮이 기울어야 일을 끝내고 집으로 돌아왔던 농경시대, 가을날 알알이 거두어들인 곡식들이 있는 곳간 선반에 얹어 있거나 흙벽의 못에 걸려 있어야 어울려 보이는 생활도구들이다. 요즘에는 전혀 쓰일 일이 없는 것을 바라보며 시어머니께서 맏딸을 시집보내면서 바리바리 챙겨주셨을 모습이 그려졌다. 시누이님은 어머니의 이런 정성을 간직하고 베란다에 두셨을게다. 환경이 많이 다르고 밤낮없이 불빛이 훤한 서울생활에서 제대로 한번이라도 쓸모 있게 사용해 보셨을까.

쓸모없는 물건은 내게도 있다. 생전에 시어머님께서 주신 한 아름 되는 목기함지박과 뚜껑 없는 백자항아리이다. 강산이 네 번 바뀌도록 목기함지박은 쓰여 본 적이 없고, 수입 안료를 썼다는 백자항아리는 나름의 쓸모를 찾아 보았지만 마찬가지였다. 설탕을 넣어 보았으나 뚜껑이 필요했고 장미꽃을 꽂아 놓아도, 가을에는 억새풀 한다발을 담아 놓아도 어울리지 않았다. 하물며 물김치를 담아 보기도 했지만… 모두 마뜩하지 않았다. 안목있는 여인을 만났더라면, 가치를 달리 했겠지만 실용성을 우선 생각하는 나에게는 두 물건은 아무 쓸모가 없었다. 생활에 도움이 안 되는 두 물건은 뒤퉁 거리가 되어 이사할 적마다 버리려고 마음먹었다. 그러나 들었다 놓았다하기를 여러 번 했어도 결국 버리지 못했다. 손바닥마냥 드러나 보이는 아파트 살림살이에 목기함지박은 두어야 할 곳을 찾지 못했고, 지금도 어느 구석에 있는지 기억이 없다. 작은 항아리는 겨우 탁상 한 쪽을 차지하고 있을 뿐이다. 그럼에도 쉬이 버릴 수 없었던 이유는 고목의 등걸처럼 어머님의 흔적이 오롯이 남아있기 때문이다.

아마 생전의 시누이님도 베란다에서 시대와 동떨어진 이 물건들을 보며 어머니의 사랑과 고향생각에 잠기셨으리라. 지난 세월 요긴하게 쓰였던 생활 속의 물건들이 이제는 쓸모가 없다. 쓸모가 없는데도, 귀중품이 되어 민속 박물관에 모셔져있는 아이러니(irony)는 무엇으로 설명할 수 있을까.

이름

신축년 새해아침이 밝아왔다. 거실 커텐을 젖히니 짙은 안개가 창밖에 우두커니 서 있다. 간간이 날리던 눈은 반월이 중천에 떠 있을 때부터 흩날리기 시작했다. 올해는 흰 소의 해다. 사람이 태어난 해의 12지지(地支)를 동물이름으로 일러 두 번째, 포유류인 소. 토템사회에서 인간이 동물을 가까이하던 유풍에서 자신의 인생을 천신과 지신, 동물마저 영수(靈獸)처럼 숭배하며 살아보려 노력했다는 신화이다. 세상의 만물 중에 이름 없는 것이 있을까. "내가 그의 이름을 불러주었을 때 /그는 나에게로 와서/꽃이 되었다." 김춘수 시인의 시 한 구절이 생각난다. 사람에게 이름은 생애 불가분의 관계이다. 누구나 스스로 짓지 않았을 이름, 선인께서 고심하며 지어 주셨을 이름이다.

어느 인사는 인간은 본능적으로 저마다의 이름을 알리고 싶은 욕망이 있다고 했고, 유명작가는 자기의 이름을 귀하게 지키는 것은 결코 남의 몫이 아니라고 했다. 역사의 기록에는 스스로 이름을 남기려 하지 않았어도 후대인들은 훌륭한 이의 행적을 좇아 비갈(碑碣)에 업적과 이름을 아로 새겨 놓았다. 한편 누눅한 삶의 소유자들은 자신의 이름을 기적(記績)에 올리고자 안간힘을 쏟았고, 인륜을 저버린 자는 족보에서 빼라는 극한에 이른 것도 이름이었다. 이루지 못한 성공을, 이룬 자의 이름 옆에서 자신의 존재를 함께 걸어 놓으려고도 한다. 어떤 이름은 생각만 하여도 기분이 좋아지는가 하면 어떤 이름은 기억에서 지워 버리고 싶은 이름 또한 있다. 초등학교 시절 한 친구의 학부모 이름 난에 아버지 이름이 '최쌍출'이라고 적혀 있는 것을 보고 철부지 친구들과 얼마나 웃었던지, 짓궂은 아이들은 놀리기까지 하였다.

지난 해 담양으로 문학기행을 갔을 때의 일이다. 빛이 스며드는 숲 사이로 바람이 불때마다 '사르르 사르르' 대나무 가장이 사이에서 놀던 바람이 해사하게 우리를 맞아 주었다. 가늘고 긴 신우대가 터널처럼 감싼 오솔길에는 여름볕 한낮임에도 서늘하고 어두컴컴하였다. 하늘로 곧게 벋은 대나무는 성장속도가 무척 빨라 '하루에 1미터 자라나는 종이 있다'는 해설사의 설명이 있을 때, 어슷하게 눈에 뜨이는 게 있었다. 그것은 마다마디에 새겨진 이름들 이었다. 정○○ 김□□도 있고 가까운 고장인 괴산의 이▽▽도 있었는데 누구인지 몰라도 주변도시에 산다는 것 하나만으로 부끄러운 마음이 들었다. 후미진 도린곁도 마찬가지였다. 모죽의 시간을 견뎌 온 여린 표피를 긁어내며 이름을 남기고자 했던 그들의 염원은 무엇이었을까. 가끔 산행에서 우묵주묵한 너럭바위에 숱한 이름으로 파여져 있는 것은 보았지만 새살을 드러내며 죽죽 자라고 있는 대나무에 새겨진 글씨는 처음이었다. 어쩌자고 바람도 살며시 지나가는 청량한 숲속에 자기의 존재를 이렇게까지 상흔으로 남겨 놓았는지…. 선명한 이름은 인간의 이욕(利慾)을 항변이라도 하는 것처럼 보였다.

젊은 날, 나도 이름을 알리기 위해 무던히도 애를 끓였던 일이 주마등처럼 머릿속을 스치고 지나갔다. 사무실 상호가 실명으로 되어 있어서 일과 직접 관련한 광고 효과를 기대했던 때문이기도 했다. 일간지 광고를 시작으로 월간지, 사무실 사방 유리창과 문 앞 배너광고, 아파트 엘리베이터와 현수막과 명함. 인터넷을 비롯하여 심지어 살고 있는 집의 절반 높이인 삼층의 벽간판에 돋을새김 된 이름 세 글자는 남다른 광고였다. 동료 공인중개사는 나에게 "이름에 한이 맺혔느냐"고 묻기까지 하였다. 한번은 작명가의 구술에 개명을 하면 '대운이 온다.'기에 이름을 바꿔 보기도 했지만 대운이 왔는지 갔는지 기억에 없다.

새해 아침, 창밖의 눈을 보며 갈마드는 마음이 된다. 지난 일을 되돌아보고 새로운 다짐을 하며, 올 한해도 이름을 잘 지키고 살아갈 수 있도록 비손 해 본다.

제4부

부부의 세계

관계

「이재훈 개인전」Artifical – 균형의 판타지.

작가 이재훈은 개인과 사회의 심리적 관계 맺음의 양태를 꾸준히 표현해 온 '프레스코 화가' 이다. 전시회에는 집단적 사회화 과정에서 발생하는 강제적 사고와 고정관념이 개인의 삶에 어떻게 침투해 있는지 보여주는 회화 15점과 영상작품 1점을 선보였다. 한국화를 전공한 작가가 인간과 사회를 관찰하면서 독특한 화풍으로 차곡차곡 담아온 사유와 형상들을 감상할 수 있었다. 상상할 수 없을 만큼 불쾌한 상태로 서로 꼬여 뭉쳐 있으면서도 편안한 듯 태연한 표정을 짓고 있는 군상의 얼굴들, 무대에서 연기하듯 일상을 채워가는 현대인이 애써 감춘 이면이 보인다.

사람은 혼자서는 살 수 없다. 서로 관계를 맺고 그 관계들 속에서 자신이 어떠한 존재인지 확인하며 살아간다. 그리고 이 모든 관계의 출발은 가족이다. 가족이란 서로 소중함을 알고 존재감을 느끼는 건 당연해 보이지만 결코 저절로 이루어지지 않는다. 얼마 전에 일어난 사회 지도층의 자녀가 저지른 사건만 해도 그렇다. 군인 출신의 아버지는 어린 자녀에게 사병 훈련시키듯이 고압적이었고, 잘못이 있을 때는 혹독한 체벌과 기합으로 훈육했다. 유명대학을 나온 어머니는 기대에 못 미치는 아들을 늘 무시했다. 두 아들은 겉으로 보기에 부모의 화려한 경력과 좋은 환경에서 어린 시절을 보냈지만, 억압적으로 자란 어렸을 때의 기억으로 괴로워했다. 한계에 이른 가족의 터전은 의사소통이 없었으며 서로 말없이 사는 무언의 가족이 되어버렸다. 날이 갈수록 고립되어가는 숨 막히는 가족관계는 해답이 없었고, 건전한 사회인으로서도 나갈 수도 없었다. 의미 없는 가족관계에 탈출할 기회를 노리던 아들은 결국 극으로 치닫고 말았다. 가족 간의 관계에서도 사회적인 관계 못지않게 노력해야함을 여실하게 보여주었다.

또한, 지인의 장례식에 참석한 일이 있었다. 묘역에 이르러 운구행렬이 물러나고 하관을 하고 허토를 할 때였다. 갑자기 작은아들이 관을 붙들고 "아버지!" 하고 부르며 오열을 토해냈다. 슬픔을 가누지 못하는 아들의 모습은 보는 이들로 하여금 눈물을 자아내게 했다. 부모님은 장남에게 유난한 애정을 보이는 반면 지차인 둘째에게는 소원했단다. 차남 콤플렉스로 가득 찬 어린 시절을 보내고 청년시절에는 집을 멀리하며 객지생활을 하다 성년이 되었다. 어른이 되어서도 옛일이 잊혀지지는 않았지만 언젠가는 꼭 부자 관계를 회복하고 싶었는데 아버지가 돌아가신 거였다. 장남의 그늘에 가려 인정받지 못한 아들은 끝내 소통하지 못한 부자 관계를 땅속에 묻어야 했으니, 그 안타까운 심정을 무엇으로 표현하랴.

한 심리학 교수는 우리의 삶은 관계의 연속이라고 했다. 바람결에 흔들리는 풀잎처럼 사람의 관계도 시시때때로 흔들리는 주변의 환경에 절묘하게 자신을 넣어야 한다고 말했다. 사회적인 관계에서 또 다른 상황 속의 관계가 있다고 하는데, 주변을 둘러싸고 있는 환경에 나를 넣어야 하는 문화주의가 있다고 했다. 이기적인 감정에서 이타적인 관계의 형성을 이야기하며 이타성을 잘 발휘하여 관계를 진화하여야 개인과 사회에 발전이 있다고도 했다.

나로 출발한 '관계' 그래서 관계의 유지도 끊임없는 노력이 필요하다. 처음 만나는 상대의 낯선 문화를 볼 줄 알아야 하고 웃음 너머에 있는 감정도 읽어낼 수 있어야 하며…. 이렇듯 관계란 자기만의 생각에서 벗어나 상대방의 입장에서 돌아보아야 한단다. 우리가 살고 있는 이 세상의 문제는 대부분 깨진 관계에서 비롯된다. 개인이나 사회문제도 관계형성의 실패로 인해 불거지는 문제들이다. 사람은 지극히 심오한 심리의 산물이며 복잡한 관계의 산물이라고 하였다. '관계' 수학 공식의 함수관계처럼 난해(難解)하다.

부부의 세계

가을비가 추적추적 내리던 날, 유리 창밖을 보던 시야에 다정하게 우산 하나를 같이 쓰고 건널목을 건너오는 부부가 보인다. 잠시 후 사무실 문을 열고 들어선 이들은 방금 건널목을 건너던 그들이다. 예고 없이 온 초로의 부부는 오래 전에 왔던 고객이었는데 지나던 길에 들렀다고 했다. 희끗 희끗한 머리칼에 편안해 보이는 두 분 모습은 잘 늙어가고 있는 부부의 표본처럼 보였다. 남편분은 모 언론사를 퇴직하고 지금은 지방대학 초빙교수로 있다고 말했다. 은퇴 후에도 경제활동을 할 수 있는 건강과 능력은 대부분 여성들이 바라는 남편상이기도 했다. 적어도 한마디 말을 듣기 전까지는 그리 생각하고 있었다. "많은 것을 이루고 사시는 군요" 직장과 가정생활을 병행하면서 원만히 살

아가는 듯한 그들 부부에게 순수한 마음으로 한 말씀을 건네는 순간 나의 말이 떨어지자마자

"그래서요" 부인의 입에서 날카로운 말이 튀어 나왔다. 툭 던져진 말은 사방 벽에서 바닥으로 떨어지며 내 기억 저편에 있던 소문으로만 들었던 말을 떠 올리게 했다. 남편이 부인을 꽉 쥐고 산다는 소문이 확인되는 순간이었다. 외관상으로 볼 때 그들은 멋진 부부였다. 남편은 선망하는 지위에 있고, 부인은 결혼 전에 좋은 직장생활을 한 지성과 미모를 겸비한 부부이다. 그런데 예상하지 못한 말 한마디로 부부관계에 대하여 짚어보게 되었다. 간혹 이름이 알려졌거나 성공한 남성들이 집안에서는 가부장적인 권위로 가족이나 아내를 불안하게 하는 이가 있다고 한다. 심지어 어떤 남성은 살림의 주도권을 쥐고 주부의 즐거움이기도 한 장보기마저 행사하는 것을 보았다. 아마 그분의 이야기 일수도 있었다. 자신도 모르게 나온 부인의 옹골진 말투로 보아 그 남편도 겉보기와 달리 부인에게 스트레스를 가하며 사는지도 모르겠다는 생각을 했다.

한번은 수지침을 배울 때였다. 침을 가르치던 강사님은 서울대 출신으로 젊은 시절에는 유수한 기업체에 다녔고 퇴직 후 사업을 하였다고도 했지만, 가정경제에는 도움이 안 되었던 모양이다. 가장으로서 경제능력은 중요부분으로 빼어 놓을 수 없잖

은가. 부인은 약국을 운영한다. 강사님은 독학으로 침술을 익혀 몸이 불편한 이들에게 도움을 주고 있었고 일반인에게 해박한 지식을 알려 주기도 했다. 하지만 돈이 안 되는 일을 하시는 거다. 나는 가까운 곳에 약국이 있음에도 수강료 없이 강의를 듣는 마음에 약간의 보은이라도 한다는 생각으로 약국을 운영하는 그의 부인을 찾아갔다. 마침 강사님도 약국에 계셨다. 그런데 가는 날이 장날이더라고, 아마도 그들 부부는 전쟁(??)을 치른 직후 같았다. "바깥 선생님께 침을 배우고 있어요." 하고 말을 하자 "그렇다면 앞으로 오지 않아도 돼요"라고 말했다. 그리고 발끈한 표정으로 몇 마디를 더 했는데 그 말은 집안 가장인 남편의 위상이라고는 전혀 보이지 않았다. 겉으로 보기에는 가족이 모범적인 신앙생활을 하고, 학식과 상식이 풍부한 강사님과 아내의 너무 다른 모습에 많이 놀랐다. 조제실 옆에서 잘못 찾아온 손님처럼 서서 아내가 하는 말을 듣고 있던 강사님의 얼굴이 아직도 눈에 선하다.

먼 산이 아름답다고 느끼는 것은 가깝지 않기 때문이라고 했다. 부부가 되기 전에는 '너는 내가 살아가야 할 존재의 이유' '너는 나의 반쪽' 이라고도 하며, 애절하게 함께 살아가길 원해서 결혼한다. 그럼에도 '졸혼' 이라는 신조어가 생겼고, 가장 사랑했던 사람이 때로는 세상에서 제일 미운사람으로 변하기도 한다. 드라마 '부부의 세계' 주인공인 여성이 말했던 대사가 생각난다. 남편의 부도덕한 행위로 파괴된 가정의 책임을 남편에게 잔인하게 몰아붙이면서도 무사의 칼처럼 단숨에 내리치지 못하는 관계. 여주인공의 말이 인상적이었다. '내 인생에서 가장 길게 함께 보낸 사람' 부부의 세계.

길

쌓인 낙엽과 묵은 나무줄기 사이로 갈맷빛 새 잎이 뾰족하게 고개를 내밀고 있다. 가끔 산행을 하는 것이 나의 유일한 휴식이자 충전의 시간이다. 이곳으로 이사 온 뒤, 집 가까이에 있는 마땅한 산책길을 찾지 못했다. 두 해가 가까워 오도록 서너 시간이 소요되는 상당산성을 드물게 다녀오곤 했는데 '구하면 얻으리라' 했던가. 며칠 전에 엘리베이터에서 만난 이웃이 국사봉을 갔다 온다는 말을 듣고 다음날 동행하기로 약속했다.

이른 아침, 아파트 둘레를 벗어나 야자매트가 깔린 오름길을 따라 오르다 보니 갈림길이 나왔다. 어느 길로 갈까. 지난번에 혼자 왔을 때는 왼쪽 길을 택하여 갔다. 그런데 잡초가 우거져 있고 길 양옆으로 묘지가 많아, 산책길에서 맡아지던 상쾌함이 없어 그 후로는 가지 않았다. 오늘은 안내자가 갈림길에서 오른쪽으로 가자고 했다. 불과 한 발자국 차이인데 안내자를 따라가니 무척 수월했다. 많은 시간을 허비하고 찾은 산책길, 안내자의 필요함을 절실하게 느낀 아침이었다.

누가 언제 만들었을까. 그곳에도 길은 있었다. 대가람 법주사 오리나무 숲길을 걸으며 오랜 지인의 일이 떠올랐다. 매표소를 지나 개천을 따라 다리를 건넌 한갓진 곳「일반인 출입금지」푯말 옆에 자리를 펴고 일행은 앉았다고 한다. 초여름 햇볕은 쨍쨍 내려 쪼였지만 그늘진 숲속과 청량한 계곡물 소리는 마음속의 쌓인 먼지까지 몽땅 씻겨내려 갈듯 했던 날, 단순한 일가족 여행이었다면 얼마나 좋았을까.

잠시 후, 바람결에 발자국소리가 들려왔고 저만치서 나우 넓은 장삼자락을 휘저으며 오는 스님의 모습이 보였다. 하얀 고무신이 사붓사붓 걸음짓 하며 다가올 때였다. 일행 중의 한명인 어머니는 튀어 나가듯이 달려가 걸어오고 있는 스님의 가슴팍을 잡고 쓰러지듯이 바닥에 주저앉았다. 그리고 외장을 치며 홰울음을 울었다. "××놈아, 너 죽고 나죽자. 나는 이 꼴 못 본다. 못 봐." 자리를 깔고 앉아 있던 가족들이 몰려오고 사태는 겨우 수습되었다.

염주를 돌리고 있던 스님은 지인의 2남2녀 중 막내아들로 법대를 졸업하고 좋은 직장에 취업을 했다. 노래를 잘한 그는 취미로 연극배우 활동도 열정적으로 하고 있었다. 그런데 어느 날 가타부타 말 한마디 없이 사라졌다. 부모와 가족의 애를 태운 것은 말로 다 할 수 없고, 시간이 많이 흘러간 뒤 들려 온 소식은 전남의 한 사찰에 있다고 하였다. 단숨에 달려간 아버지는 오랜만에 보는 아들의 모습에 말문이 막혔다고 했다. 배코를 친 빡빡머리는 햇빛에 반짝였고 희멀건 얼굴은 낯설기만 했단다. 아버지가 다녀 온 후 가족회의를 하고 작심하여 날을 잡아 온 날이 오리 숲의 그날이었다.

어머니의 애끓는 심정이 마음을 움직였을까. 몇 해가 지난 뒤, 환속한 아들은 여우같은 아내를 얻어 슬하에 남매를 두었고, 지금은 토끼 같은 아이들 재롱을 보며 알콩달콩한 생활을 하고 있다. 단·짠·신·쓴 인생의 맛, 알사탕과 같은 단맛이 있는가 하면 소태보다 더한 삶의 순간도 있다. 초인(超人)은 세속의 단맛이란 찰나에 불과하다고 했지만, 미망한 중생은 강렬한 단맛에 사로 잡혀서… .

세상의 길은 결코 녹록치 않아 봇짐을 싸서 홀로 떠나고 싶을 때가 어디 한 두 번이랴. 스님은 이런 인생길을 미리 알았을까. 산속의 생활이 그렇게 편안 할 수가 없더란다. 가본 적 없는 길,

범인(凡人)이 갈 수 있는 길은 결코 아니리라. 수 없는 번민과 고독 속에 끊임없이 자신을 담금질하면서 희로애락 감정의 표현이나 인간본능의 욕구마저 억제하며 수련해야 하는 길. 그래서 우리는 수행자의 모습에 고개를 숙이게 되나 보다.

인생 길, 누구에게나 자기만의 길이 있다. 스스로 선택한 길이 있고, 조언자의 도움으로 가는 길도 있다. 스스로 선택했지만 주저앉아 울고 싶은 길도 있을게고, 가지 않은 길에 대한 아쉬움도 있으리라. 길은 계속 이어져 있고, 살아있는 한 길을 가야 한다. 걸어온 길 가야할 길, 오늘도 길을 걷고 있다.

둔덕

지난밤에는 단비가 내렸다. 메마른 대지를 가라앉히고 푸르고 여린 새싹과 잎들은 물기를 머금어 녹유(綠釉)의 계절임을 확인시켜 주었다. 이제 산과 들은 날이 갈수록 짙푸른 정경을 펼쳐 보일 것이다. 오늘처럼 무성한 나뭇잎들도 가을이 오면 낙엽이 되고, 어제도 내일도 동쪽에서 밝아 온 해는 서쪽으로 넘어가는 이치는 변함이 없으리라. 매일 다르게 일어났던 일상들이 대근하다고 생각했는데, 돌아보니 강물에 소 지나간 자리처럼 흔적이 없다. 살아오면서 아득한 심정으로 바라보았던 높은 산이나 산중턱에서 가쁜 숨 몰아쉬었던 몇 날은 기억에서 지워지지 않는 내 삶의 둔덕이었다.

32년 전 이 집을 사고 이사를 했던 일은 잊을 수 없다. 그즈음 H회사의 중형승용차가 막 출고하기 시작했을 때였다. 집을 살 준비가 전혀 안 되었던 상태여서 전후좌우를 재어보고 신중하게 결정을 하려고 했다. 그런데 돌연 경쟁자가 나타나 예정에 없던 중형차 한 대 값을 얹어 지불하고야 계약이 성사 되었다. 숨 막힐 듯 했던 고빗사위에서 내 것을 만들어야겠다는 승부욕으로 저지른 일, 목적은 이루었지만 머릿속에서는 날아 간 승용차 생각이 떠나질 않았다. 그러다 며칠 뒤 꿈을 꾸었다. 윤기가 자르르한 까만색의 돼지가 펑퍼짐하게 누워서 많은 새끼들에게 젖을 먹이고 있었고 담벼락에는 누르스름한 호박이 덩굴과 함께 주렁주렁 열려 있었다. 그 꿈은 큰 산을 넘어야 하는 나에게 좋은 느낌을 준 꿈이었다. 당시 나는 초보 공인중개사였고 꿈해몽을 할 줄 몰랐다. 그렇지만 그건 분명 둔덕을 넘을 수 있겠다는 용기와 확신의 힘을 주었다. 꿈을 꾸고 난 이후 마음이 편안해졌고 날아간 차 생각도 잊어버렸다. 꿈 이야기를 하면 행여 복이 나갈까봐 나는 지금까지 누구에게도 말하지 않았다.

그렇게 시작된 이 집과의 인연을 교육공무원이었던 남편은 오늘까지 모르고 있다. 아마 알았더라면 백번은 말렸을 것이다. 왜냐하면 당시 중형차 한 대 값은 남편의 연봉에 가까운 금액이었고, 소형 중고차를 타고 다니던 내게는 큰 모험이었다. 그때 이곳은 청주의 서쪽에 있는 변두리였고, 주변은 도시계획만 되어 있었을 뿐 헌집이 띄엄띄엄 몇 채 있었다. 10년이 지나면서부터 흙길이던 도로는 포장된 넓은 도로로 바뀌었고 상가건물과 주택이 하루가 다르게 지어졌다. 아랫동네에 백화점이 들어오기까지 이십여 년을 부동산 전성기인 활황기로 보냈다. 강산이 세 번 바뀌는 세월 동안 기쁨에 겨워 잠 못 이룬 밤이 있었는가 하면 우울의 뿌리가 깊어 온 밤을 하얗게 뒤척이기도 했다. 하지만 어느 한 순간도 허투루 보내지 않으려고 노력했던 시간들이었는데, 얼마 후면 다양한 추억이 서려있는 이 집을 떠나야 한다.

이제 팔월이 오면 경험하지 않은 공동주택 '아파트'로 이사를 간다. 그런데 사람의 심사는 왜 이럴까. 막상 이사할 날이 다가오자 마음이 편치 않다. 겨울에 집 앞 인도와 주차장에 쌓인 눈을 쓸 때면 아파트로 이사 가고 싶다는 바람이 간절했다. 이 집에서 보내는 마지막 정월을 맞아 장을 담으며 사방이 탁 트이고 햇볕 바른 옥상에서 '언제 또 장을 담으랴….' 생각에 잠겼고, 뒷마당에 돌나물을 뜯으면서 '내년 봄에는 즐겨볼 수 없으리라' 하며 아쉬운 마음을 달래야 했다. 나만의 이야기가 숨어있는 키다리 꽃, 옥상의 텃밭. 가뭄에 아침저녁으로 물을 주던 수고로움으로 얻어지던 토마토와 상추를 따서 먹던 맛을 잊을 수 없을 것 같다. 집 안팎 구석구석 나의 손길이 안 닿은 곳이 없다. 인생이 연극처럼 1막, 2막, 3막으로 나눈다면 이곳은 내 인생의 2막이었고 이제 마지막 장인 3막으로 가는 마음이 허우룩하다.

최선의 선택을 한 결정이었으나 아파트로 이사한다는 사실은 또 다시 둔덕 앞에 선 마음이 된다. 남편은 새로운 환경에 잘 적응할 수 있을까, 딸아이의 출퇴근 시간이 길어지는 것은 어떡하나. 그리고 서투른 나의 살림 솜씨가 손바닥처럼 보일 것은…. 언제나 지나간 일은 후회로 남고 미래는 불안하다고 했다. 언제쯤 둔덕 앞에서 두려움이 없어질까.

의리

요즈음, 아침과 저녁뉴스의 절반 이상을 코로나19가 차지하고 있다. 눈에 보이지 않는 바이러스가 국민들의 일상을 블랙홀처럼 빨아들인 지 3개월이 지났지만 아직 확실한 대처법은 없는 듯하다. 이제 아시아에서 유럽으로 옮겨 간 여세는 세계 곳곳에서 재난지역을 선포하고 있다. 감염의 공포로 외출을 삼가고 있은 지도 꽤 오래 되었지만, 아직도 사회적 거리 두기가 계속되고 있다. 처음 방역관리 차원에서 국내 입국하는 교민들의 임시 격리 생활을 했던 곳 J읍에 응원군단 중 한 사람이 눈에 띄었다. 액션스타, 마초적인 이미지가 강한 일명 의리의 사나이로 알려진 영화배우 '김보성'씨다. 광고, 스포츠계에서 두 주먹을 불끈 쥔 모습으로 '으~리'라고 하면 정말 상남자처럼 보였다.

의리란 무얼까. '의리'란, 사람의 관계에서 반드시 지켜야 할 도리라고 한다. 의리는 의지적인 일이라 감정이 주관하는 사랑과 달리 잘 변하지 않는다. 남녀관계에서 또는 부부간에서도 매한가지일 것이다. 부부의 사랑은 퇴색할 수 있지만 의리를 버릴 수 없어 가정을 지킨 여인이 있다. 전직가수 '김송'이 출연하여 자신의 살아온 삶을 이야기했다. 그녀는 나에게 용어의 지평을 넓혀 주었다. 그녀가 말하기 전까지 '의리'라는 말은 남자들이나 혹은 어떤 조직이나 집단 사회에서만 사용하는 줄 알았다. 그때 그녀와 연애 중이었던 강원래는 히트메이커, 국민가수 여름의 사나이 등 화려한 수식어가 따라 다녔고 각 방송사의 많은 가수상을 탔던 클론이라는 댄스그룹의 멤버였다. 승승장구 인기 가도를 달리던 때, 불법 유턴하던 차량으로 인해 사고를 당했다. 교통사고는 그의 인생을 바꿔 놓았다. 하반신 마비, 무대를 종횡무진 뛰어다녔던 최고의 춤꾼에게 다리를 쓰지 못한다는 것은 천형과도 같은 일이다.

'김송'에게 클론의 멤버이자 동료인 구준엽이 '친구에게서 떠나 달라'는 말을 했다. 영구장애라는 판정을 받은 친구를 위해 '아픔이 커지기 전'에 가라고 했다. 고등학교 때부터 호흡을 맞춰오며 춤을 추어왔던 친구이기에 그리 말할 수 있었을 것이다. 가족은 물론이고 주위의 만류가 있었지만 그녀는 요지부동이었다. 드디어 결혼식 날이 왔다. 휠체어를 밀며 신부는 웃고 신랑은 우는 결혼식을 강행하였다. 축하하고 축복받고 꽃길만 걸을 것 같은 결혼식, 그녀는 도무지 앞이 보이지 않는 안개 속으로 용감하게 뛰어든 것이다. 결혼생활을 하다보면 시련이 올수도 있으니 용기를 갖고 이겨 내라는 주례사 '검은 머리 파뿌리 될 때까지….'는 어쩌면 그녀에게 가혹한 말로 들렸으리라.

하반신 마비란 남녀 두 사람의 관계만이 아니라 2세까지도 염려해야 하는 문제의 연속이다. 한때 줄기세포로 세상을 떠들썩하게 했던 H교수의 실험 대상이 되었으나 이루지 못했다. 그때 다시 절망의 나락으로 떨어지는 아픈 마음을 기도로 이겨내고 이제 그녀는 바쁜 나날을 보내고 있다. 뜻하지 않은 사고로 장애자의 아내가 되어 힘겹게 역경을 넘어선 이야기를 진솔하게 간증을 하고 다니며 책을 펴내기도 했다. 고난의 중심에선 간절한 기도가 하늘에 닿았을까. '지성이면 감천이다'라는 속담처럼 신의 축복이 있었다. 기적같이 그녀는 임신을 하였고 남편을 꼭 닮은 아이가 태어났다. 이름을 '선' 이라고 지었단다. 하반신 마비의 강원래는 오늘이 있게 한 것은 오로지 아내의 95% 노력 덕분이라고 말했다. 한편 자신도 피나는 노력으로 장애인 경기대회에서 휠체어를 밀며 춤꾼의 실력을 다시 보여 주었다. 그러면서 많은 장애인들에게 꿈과 희망을 주고 있다.

그녀가 조근조근한 목소리로 속내를 풀어놓았다. 전혀 예견하지 않았던 장애인이 된 사람을 남편으로 받아들이고 함께 이겨내기까지, 미울 때도 있었고 솔직히 떠나고 싶은 순간도 있었단다. 그러나 결코 '의리'를 저버릴 수가 없었다고 말했다. 상남자가 외치던 '으~리' 보다 그녀가 말하는 '의리'가 가슴에 와 닿았다. 그녀는 의리 있는 여인이었다.

피아노

집채만 한 파도가 하얀 거품을 안고 밀려왔다 다시 파란바다 속으로 멀어져 가버린다. 백사장에는 덩그마니 피아노 한 대가 놓여있고 그 옆에 금발의 머리카락을 흩날리며 한 여인이 서 있다. 어린소녀가 출렁이는 파도 바람에 나비춤을 추고 있다. 오래전에 본 영화, 제인 캠피온 감독 홀리헌터 주연의 섬세한 연기력이 인상 깊었던 '피아노' 의 첫 장면이다.

이야기의 배경은 19세기말이다. 20대 미혼모 "에이다"가 아홉 살 사생아인 딸 '플로라'를 데리고 얼굴도 모르는 남자와 결혼하기 위하여 낯선 땅 뉴질랜드에 도착했다. 여섯 살 때부터 말하기를 그만두고 침묵을 선택한 "에이다", 그녀에게 세상과 이어주는 유일한 통로는 피아노와 플로라뿐이다. 모녀를 데려가기 위하여 해변가에 온 남자'스튜어트'는 에이다에게 생명만큼이나 소중한 피아노를 버리라고 한다. 피아노를 두고 갈 수 없었던 에이다는 바닷가에서 피아노를 연주한다. 이 모습에 반한 또 다른 남자 "베인스"와 에이다는 비밀스럽고도 열정적인 사랑에 빠져든다는 줄거리이다.

영화가 촉진제였을까. 어렸을 적 배우고 싶었던 피아노교습을 받기로 했다. 낯선 악보를 보며 서투른 손가락으로 작은 씨앗 같은 음표를 보고 건반 88개를 하나하나 짚어 보았다. 피아노 앞에 앉아있다는 것이 좋았고 맑고 애잔한 선율의 피아노 연주회는 나를 흠씬 빠져들게 했다. 밤하늘을 수(繡)놓은 별빛아래 객석을 휘감는 현란한 손놀림은 건반위에서 백조가 날개 짓을 하는 듯했다. 그런데 피아노에 취해 있던 감상과는 다르게 진도가 나가지 못했고, 생활의 변경으로 계속되지 못했다.

사계절이 몇 번 지나가고 도돌이표처럼 다시 피아노 앞에 돌아와 앉았다. 시간이 조금 자유로워진 날, 미루어 두었던 숙제를 하려는 아이처럼 피아노 덮개를 열고 한 음씩 눌러 보았다. 손가락 끝에 닿는 음 하나하나가 생생하게 살아나 몸의 세포를 깨워주는 듯했다. 이제는 방향을 바꾸어 클래식보다 내가 좋아하는 음악 30여곡을 선정하여 실용반주를 목표로 배우기 시작하였다. '사랑의 기쁨', '엘리제를 위하여', '넬라 판타지아' 등을 펼친 화음으로 멋을 내보기도 했다. 익히 알고 있는 멜로디라 연습에 무리는 없었다. 반음 올리고, 반음 내리고. C코드는 도 미 솔, F화음은 도 파 라. 즐거운 연습은 이제 스물다섯 곡을 돌파했다. 노년의 손가락 움직임은 건강에도 좋다고 했다. 기억하지 못한 이음(異音)을 손가락이 먼저 찾아 주었고, 새 곡을 연습할 때는 새로운 감성이 뿜뿜 돋아났다.

사람마다 작은 몸짓 하나에도 저마다의 다른 음색이 있다고 한다. 만약 내 인생 초반에서 반음을 올렸다면 나는 지금 어떤 모습으로 변해 있을까. 살아오면서 건반을 열 손가락으로 꾹 누르고 있는 듯한 중압감이 느껴졌을 때가 있었고, 누군가 '새끼 손가락 한음이라도 대신해 주었으면' 했던 시간도 있었다. 간절하게 세상을 이어주는 통로가 필요했던 순간들이었다. 세월따라 음감도 변하여, 젊은 시절에는 강렬하고 빠른 음악을 즐겨 들었는데, 이제는 자연의 소리에 가까운 감미롭고 잔잔한 리듬의 음악을 듣게 된다. 혼자 돋보이는 독주회보다 상대방과 화음을 이루어 연주하는 협주가 좋다. 여러 사람이 각기 다른 악기로 음정과 박자로 조화를 이루어 내는 오케스트라 연주는 영혼을 정화하고 가슴속 깊이 울림을 준다.

며칠 전, 학원시간을 맞추어 가던 중 신호등에 걸렸다. 그때

라디오 방송의 프로그램이 '고민상담' 이었던가 보다. 34세의 처녀가 용기를 내어 피아노를 배우기 시작했는데 학원에서 만난 꼬마 아이들이 교본을 보면서 "바이엘이네" 하며 시큰둥하더란다. 그것이 부끄럽다며 상담을 해왔다. 순간, 운전대만 잡고 있지 않았다면 내가 대답을 해주고 싶었다. "여기 이순이 훨씬 넘은 아줌마도 있다"라고.

버섯농사

노총각인 그는 보험회사에 근무하면서 자동차 영업사원을 하였다. 정규직으로 취업하기 힘든 시대, 청년들이 TWO job을 하는 거는 종종 보아 왔던 터. 그런데 그가 대청호 주변에 사놓은 땅에 대출을 받아 또 다른 사업을 할 계획이라고 이야기 했을 때, 우리는 참한 아가씨를 만나 장가를 드는 것이 우선이라고 말했다. 자본이 넉넉지 않고 연고지도 아니고, 농사 경험이라고는 고향인 청양에서 어머니가 하시던 일을 본 것이 전부라는 그에게 달리 도움 줄 말이 없었다. 며칠 뒤에 사무실에 온 그는 비닐하우스를 설치했고 지하수를 끌어 올려 살수작업도 하고 원목에 종균접종도 마쳤다고 했다.

완연한 봄볕이 창가에 와 앉아 있던 날, 출근하여 사무실 문을 열자마자 기다렸다는 듯이 그녀가 들어왔다. 자리에 앉으라는 말을 하며 색안경을 낀 그녀의 눈매를 보다 심상치 않음을 느꼈다. 볼도 부어 있었고 대단히 화가 나 있음이 분명했다. 무슨 일일까?, 어쩌면 나와 관계된 일이 있을 거라는 불길한 예감이 들었다. 엇그제, 매도 계약서를 작성한 것에 '문제가 있나?, 생각을 하며 속으로는 계약서의 내용을 더듬어 내려갔다. 매매 금액, 물건의 소재지, 계약금과 중도금 잔금, 특약사항까지 기억을 해도 문제를 발견하지 못했는데 그녀는 말머리를 트지 않고 있었다. 한참을 다른 이야기만 하다 일어서는 그녀에게 궁금증을 더 참지 못하고 물었다. "왜 화가 났느냐?"고. 그랬더니 그녀는 파안대소를 하며 어제 눈꺼풀 수술을 하고 검버섯을 치료 하였단다. 그리고 어디를 가려고 나왔는데 시간이 남아 잠시 들렸을 뿐이라고 했다.

부동산가에는 건물을 지어 파는 여성들의 군단이 있다. 그녀들은 짧게는 몇 달 길게는 몇 년을 고생하고 건물을 팔게 되면 보통의 여성들이 생각하는 이상의 큰 몫의 돈을 손에 쥐게 된다. 그러면 한동안 수고한 자기에게 보상이라도 해 주듯이 자신을 가꾼다. 허름한 옷을 입고 시멘트 가루를 쓰고 건축현장을 누비던 모습과는 다르게 립스틱을 바르고 유행하는 의상으로 외양을 꾸미고 또는 그동안 하지 못했던 피부 관리도 하며, 그날처럼 쳐진 피부를 올려 낯설게 한 얼굴을 하고 오기도 했다.

소식이 뜸했던 노총각이 낭패한 얼굴로 온 것도 그때쯤이었다. 여름 내내 땀 흘려 지은 버섯농사인데 버섯 등에 거뭇한 점이 생겼다고 했다. 농장을 가보니 이미 버섯들이 버려지듯 큰 바구니에 담겨 한쪽 구석에 밀려나 있었다. 여름날 습도가 많은데 쌓여있는 버섯을 보고 곧 썩어버릴 것을 걱정하는 우리에게 '상품가치가 없는 버섯은 판로를 모른다'고 했다. 그의 열정과 노력이 안타까워 버려지다시피 한 버섯을 대여섯 움큼 골라 와서 말려 가루를 내었다.

지난해 여름, 땡볕 더위에 이사를 하느라고 미처 얼굴을 가릴 생각을 하지 못했다. 그리고 며칠 지난 뒤에 거울을 본 나는 깜짝 놀랐다. 청년을 낭패하게 했던 버섯위의 거뭇한 점이 얼굴과 팔에 피어 있었다. 뒤늦게 오이 마사지를 하고 미백크림을 발라 보았지만 사라지지 않았고, 화장품으로도 숨겨지지 않았다. 하는 수 없이 지인의 도움을 받아 의사의 진료를 받기로 하고 이름난 병원을 찾아갔다. 오전환자를 열 명만 접수 한다기에 새벽밥을 먹고 서둘러서 간 덕분에 1번으로 도착했다. 유명세 때문인지 곧이어 대기자들이 뒤로 줄을 섰다. 경기도에서 온 이는 첫차를 타고 왔다고 했다. 문진을 하고 침상에 누워 천장을 바라보니 수많은 환자들이 다녀간 흔적이 보였다. 잠시 후 '타다 탁 탁탁' 레이저 불빛소리와 검버섯이 지워지는 냄새가 날 때, 왜 그 청년이 한 말이 생각났는지. '상품가치가 없다...' 여자의 피부는 무죄인가?

혼자옵서

정(情) 내음

봄나들이

떡국행사

교감

그녀

행복

혼저옵서

곳곳에 놓여있는 손 소독제와 출입구마다 발열 체크를 하고 공항에 들어서자 예상했던 대로 로비는 한산했다. 지난해부터 심각해진 미세 먼지와 황사 현상으로 마스크 착용을 권고했지만 기피했던 마스크가 이젠 필수품이 되었다. 얼굴의 반을 가려 아는 사람도 몰라볼 정도로 데면데면하게 거리를 두고 앉아 있다가 비행기에 올랐다. 하늘길이 막혀서 인지 이백여 좌석은 빈틈이 없었다. 잠시 후 활주로 유도선을 따라 비행기가 움직이기 시작하자, 항공사 직원 두 명이 나란히 서서 손을 흔드는 모습이 멀어져갔고, 이어 굉음을 내며 이륙한 비행기는 2만7천 피트 푸른 창공 속으로 진입했다.

이른 봄부터 시작된 코로나 팬데믹 현상으로 일기 예보처럼 날마다 보고되는 신규 확진자의 수, 거리두기를 강화한다는 이야기와 긴 장마, 태풍으로 울울한 날들 연속이었다. 한가위를 보내고 명절 연휴 인파를 피해 딸아이의 휴가에 맞춰 제주도 여행을 계획하였던 것은 한 달 전이었다. 일상의 반복되는 생활 반경에서 크게 벗어나지 못할 때 '여행'이란 생각만 하여도 마음이 설레었다.

기내 창밖으로 내려다 보이는 자연은 땅 위에서 보는 느낌과는 또 달랐다. 하얀 솜덩이 같은 구름이 뭉게뭉게 떠다니고, 햇빛에 반사된 바다는 은비늘처럼 반짝였다. 울긋불긋 이제 막 물들기 시작한 가을 산은 다채롭게 색다른 감성을 적셔왔다. 시속 800키로, 한 시간 남짓한 거리에 물 한잔 없는 팍팍한 시절을 살고 있지만 마스크가 말을 가린 덕분에 말을 못하니 조용해서 좋았다.

옛 이름이 탐라국인 제주여행은 이번이 다섯 번째이다. 부부모임, 가족여행, 대학원 졸업여행, 딸아이와의 여행은 이번이 두 번째이다. 사십여 년 전에는 가이드의 꽁무니를 따라 다녔고, 배탈이 나서 고생을 했던 적도 있다. 가장 아쉬웠던 기억은 내 인생의 마지막 졸업여행에서 갑자기 사무실 일정이 변경되어 도착한 지 몇 시간 만에 되돌아서야 했던 일이다.

제주공항에 내려 다시 발열 체크를 하고 수하물 인도장으로 갔다. 어른, 아이 여행객들의 붐비는 가운데 컨베이어 벨트를 타고 크고 작은 짐들이 나오고 있었다. 유독 길고 커다란 가방은 풍광 좋은 바닷가에서 골프를 즐기러 온 관광객들이었다. 무리무리 흥성대는 분위기는 비대면 시대와는 거리가 멀어 보였다.

지형이 동서(東西)의 길이가 비슷하고 럭비공처럼 타원형인 제주도. 천혜의 자원이 풍부하고 문화의 숨결이 꿈틀대고 강인한 삶과 정신이 깃든 역사의 현장, 이번에는 서쪽으로 방향을 잡았다. 단체 여행에서의 기억 속에는 서두름이 있었는데 이제는 렌트카를 운전하며 드라이브스루 커피를 마시며, 경관이 좋은 곳에서는 차를 세우고 기념사진을 찍었다. 새별 오름의 펼쳐진 억새는 무르익은 가을을 한껏 연출했고, 핑크뮬리 숲과 드넓은 바다 위에서 지는 노을은 환상적으로 아름다웠다. 주상절리를 치는 파도 소리와 하얗게 피어오르는 포말은 육지에서의 상념들을 깨끗하게 날려 보냈다. 협재 해변에서는 백사장에 비닐을 씌우고 있었는데, 겨울바람에 날아가는 모래를 방지하기 위함이라고 했다.

모슬포항과 곶자왈이 가까운 민박집의 아담한 집의 분위기는 내 맘에 꼭 들었다. 구옥을 리모델링한 집이었는데, 까맣고 구멍이 숭숭 뚫린 돌담을 타고 오르는 담쟁이 넝쿨과 화단에 피어 있던 자잘한 꽃이 인상적이었다. 경중하게 반 토막 잘린 창의 커튼은 대면하지 못한 여주인의 안목 높은 인테리어 솜씨를 보여 주었다. 넓지 않은 마당에 놓여있는 햇살 바라기 의자 두 개는 아날로그적 그리움을 떠올리게 하였다. 그냥 그대로 눌러앉아 살고 싶은 충동이 일었다.

언택트 시대, 혼저옵서(어서오세요) 사흘간의 일탈은 무뎌지는 일상에 신선한 한줄기 바람이었다.

정(情) 내음

'아침저녁으로 쌀쌀해지며 낮 기온도 내려간다'는 기상정보이다. 오늘은 일년 중 세 번째 계절인 가을의 끝자락 상강(霜降)이라고 한다. 이맘때쯤 가을을 거두어들인 들녘을 보면 먼 기억 속의 어린 시절이 떠오른다. 해가 저무는 시간 외출에서 돌아오면 집안에는 물씬 쪄진 고구마 냄새가 그윽했다. 그 냄새는 하루의 피로를 스르르 녹아내리게 했고, 움츠렸던 마음을 훈훈하게 데워주던 묘약이었다. 그래서 건들마가 불어오고 햇덧의 빛이 창가에 스며들어 올 적에 정 내음을 피우려고 나는 일부러 고구마를 찐다.

정 내음은 비 오는 날, 전류에 감전되듯 한순간에 '찌르르'하고 마음으로 전해 온다. 때로 뒤끝을 알 수 없는 정으로 이해(利害)의 시작이 되고, 이성적이지 못한 잔 정에 연연하다 정에 탈이 나기도 했다. 또 영리함으로는 앞뒤가 맞지 않는 정도 있다. 내가 아는 지인의 이야기이다. 팥죽을 좋아하는 나이 든 동생을 위해 연로하신 누님이 팥죽을 끓여 보내 오셨더란다. 그런데 한 번 드신 후 곧 맛이 변했지만 버리지 않고 모두 드셨다고 한다. 배앓이를 할 지 모르는데도 누님의 정과 정성을 생각한 그 마음은 어떤 계산법으로도 환산할 수 없을 남매지정이었으리라.

나이가 들어가면서 작은 것 하나에도 정이 가고 소중하다는 생각이 든다. 옥산 오일장에 갔다. 장터에는 정 내음이 살아 숨쉬고 있었다. 헐렁한 바지 차림의 고추전 아저씨는 초장에 해장술을 하셨는지 얼근한 얼굴을 하고 희아리를 고르고 있고, 마을 부녀회에서 운영하는 푸드 점에는 여러 가지 농산물이 있다. 도회지 반찬가게에서는 윤이 나고 네모반듯한 도토리묵이 이곳에선 재활용 프라스틱 그릇에 수북하게 담겨있다. 길가에 있는 생활용품 가게 주인은 사 왔던 물건을 다른 물건으로 바꿔 달라고 해도 싫은 기색이 없다. 시골 장에 온 길에 목욕탕도 들러 보았다. 때밀이 아줌마는 중국동포인데 투박한 말솜씨에도 정성껏 밀어주는 손끝에 정이 느껴졌다.

주택에서 살다 이곳 아파트로 오면서 정이 삭막할 거라고 예단했던 정을 불식시켜준 이도 있다. 벽에 못이 안 들어가 이삿짐 정리가 한 달이 넘도록 지체되고 있을 때 관리소 직원이 해결해 주었다. 엘리베이터 안에는 어린아이 키 높이를 배려하고 발판 맞춤 상자를 놓아주는 이웃에게도 진득한 정 내음이 풍겨왔다. 매끄럽게 단장된 시멘트 길보다 신발에 흙이 묻어도 들꽃이 피어있는 논둑길에서 짙은 정의 향기를 맡고, 작은 물건이었는데도 정 내음을 맡아본 적이 있다. 중학교 동창들과의 여행길에서다. 학원을 운영하는 친구가 길을 가다 엎드려 뭔가를 주웠는데 그것은 굵은 실 같은 고무 밴드 하나였다. 작은 사물을 아끼는 마음도 또한 정이었다.

대학동기 모임에 가서도 정 내음을 느낀 적이 있다. 시의원이었던 동기가 손수 농사지은 호박과 고추, 가지를 따서 가방에 넣어 주었다. 그날 풋풋한 푸성귀와 함께 담아온 살가운 정 내음은 며칠 내내 코끝에 머물렀다. 고추전 아저씨의 옷매무새가 좀 허름하면 어떻고, 목욕탕 아줌마의 말씨가 어눌하면 어떠랴. 숫된 정 내음이 좋은걸…. 부침이 심했던 하루, 속옷을 갖추어 입고 옷섶을 여미어도 가슴이 시려오는 것은 정녕 계절 탓만은 아니리라.

봄나들이

미세먼지 때문에 며칠째 창문을 열지 못해서 가슴이 답답하다. 신문이나 방송에서도 연일 미세먼지의 폐해를 알리고 재난문자 메시지에서 노약자는 바깥출입을 자제하고 외출할 때는 반드시 마스크를 착용하라는 재난문자가 온다. 마스크도 어떤 제품을 사용하라고 상세하게 알려준다. 전에는 거리에서 마스크를 쓴 이를 보면 뭔가 찜찜하게 느껴지고 혹 밤길에라도 만나게 되면 불안감이 들어 피해 지나갔다. 그런데 이제는 낮밤 가릴 거 없이 여러 색상의 마스크를 하고 거리를 활보하는 이들이 많아졌다.

2월 중순에 봄나들이 한다는 연락이 왔다. 미세먼지에서 벗어

날 수 있다는 기대감으로 그 소식이 더없이 반가웠다. 년 중 행사인 동창회를 고향에서 해 왔는데 올해부터 농번기가 아닌 계절에 여행을 하기로 결정한 것이다. 그 첫 번째 행선지는 동해안이란다. 출발지 영동에서 대전을 경유하고 청주에서 우리를 태운 버스는 여주 휴게소에서 서울 친구들과 합류하였다. 버스 안에는 반가운 인사를 하며 이런저런 이야기로 웅성거렸다. 시끌벅적한 정겨운 소란스러움은 사춘기 시절 학습시간에 "조용히 해" 하는 선생님의 외침에도 아랑곳하지 않고 떠들던 모습 그대로였다. 달라진 것이 있다면 반백의 머리숱이, 솎아내기 시작한 채마 밭처럼 듬성듬성하고 동안의 맑았던 얼굴에는 세월의 흔적이 훈장처럼 담겨 있다.

삶의 터전에서 열심히 살아온 얼굴들이다. 마을 이장, 블루베리 농장주, 국방의 의무를 잘하고 돌아온 친구가 있고, 아직도 현역인 택시기사도 있다. 사업을 하는 친구, 공직에서 퇴직한 친구도 있다. 박사학위를 한 친구는 다시 대학재학 중이라고 했다. 기억의 저편에서 음악 시간이면 노래를 잘해 '봄의 교향악'을 목소리 높여 독창하던 친구도 있다. 사실 동창 모임에 가는 건, 자연의 수려한 풍광을 보고 맛집에서 먹는 기쁨이 있지만 오랜 지기들과의 속엣말을 할 수 있다는 것이 더 큰 즐거움 아니던가. 도착지인 양양 낙산사에 내리자 아직은 이른 봄인데도 봄을 맞으러 온 사람들이 많았다. 양지바른 쪽은 겨울이 녹아 질척거렸어도 숲길에서 맡아지는 솔 냄새는 마냥 싱그러웠다. 생일이 빠른 친구는 경로우대를 받고 일주문을 통과하자 사진작가인 친구는 좋은 풍경을 담기에 여념이 없었다. 모자를 다시 고쳐 눌러쓰고 몇 개의 스카프를 가져온 친구는 멋을 내어 포즈를 잡는다. 이미 봄은 계절보다 우리의 마음에 먼저 들어왔다. 화창한 날씨와 파란 물결 위에 은비늘 같은 햇살은 눈이 부셨고, 하늘과 바다의 경계가 어디쯤인지 알 수 없는 드넓은 바다에서 해풍이 '화~악' 불어왔다. 먼지로 쌓였던 폐부를 깨끗이 씻어 내리는 듯한 시원한 바람이었다.

낙산사의 상징이라고 할 수 있는 '해수관음보살' 입상 앞에는 참배객들이 줄을 이어 서 있었다. 일 배 이 배 삼 배 … .

나무의 우듬지 같은 산, 동해바다 삼면이 훤히 보이는 상봉(上峯), 높이 서 있는 불상을 올려다 보며 합장을 하고 엎드리어 그들은 무얼 기원하는 걸까. 불자는 아니지만 경건하게 마음을 모아 보았다. 정녕 우리에게도 오늘처럼 화사한 봄날이 있었으련만 여행자의 마음으로 살아오지 못했다는 자괴감이 잔잔한 회한으로 남는다. 잘한다고 짜인 일상에 종종대며 살아왔는데 어느 사이에 우리의 젊은 날이 먼지처럼 날아 가버렸다. 너울이 이는 바다를 보며 세상물살에 움츠러들었던 가슴을 펴 보고 자신을 돌아보았다. 세상을 관찰하는 생각의 힘을 키워 주었던 이른 봄나들이, 해조음 소리가 들려온다. 짧았던 하루가 가고 이제 우리는 있던 자리로 돌아가 가정과 이웃의 든든한 울타리가 되리라.

떡국행사

경자년이 밝았다. 해돋이를 보기 어렵다는 일기 예보가 있었지만 새해 첫날을 누워서 맞이할 수 없어 집을 나서기로 했다. 십여 년째 산성에서 해맞이를 하면서 붉게 떠오르는 해를 보며 가족의 건강과 가정의 무탈함을 기원하였다. 어둠도 깨지 않은 신새벽에 랜턴을 쓰고 아이젠을 덧신고 산을 오르면 눈과 콧등에 하얗게 서리가 맺히곤 했었다. 딸아이와 함께하는 나름의 연례행사였다. 그런데 올해는 해를 볼 수 없다니 산행은 뒤로하고 떡국을 먼저 먹기로 했다. 하여 떡국 행사장인 S컨벤션 센터를 찾아갔다. 짙게 내려앉은 안개를 가르며 LG로를 지나 3순환 도로를 달렸다. 떡국 행사장에는 다른 해 보다 일찍 도착하였지만 이미 줄은 길게 이어져 있었다.

이 행사는 한 기업가가 매해 새해 첫날 실행하는 자선행사다. '새해맞이 떡국 행사'는 올해로 16회차라고 했다. 새해아침 오전 일곱 시에서 열 시까지 세 시간 동안 떡국을 나눠주는데 작년의 경우 8,000명이 먹을 양을 준비해서 베풀었단다. 지그재그 줄을 선 인파로 채워진 행사장에는 정치를 하는 이들의 행보도 빠르게 움직였다. 산행과는 무관하게 온 이들도 많아 보였다. 드디어 차례가 왔다. 떡국과 김치를 받고 자리에 앉았을 때 앞좌석에는 벌써 아이들과 함께 온 일가족이 맛있게 먹고 있었다. 떡국에는 만두 두개와 달걀지단 몇 줄이 있을 뿐이다. 그런데 매번 느끼는 건 무척 맛이 있다는 거다. 이름 있는 음식점에서 먹는 떡국보다 맛이 있는 이유는 무엇 때문일까. 함께 먹는다는 분위기와 해맞이 하느라 산성에 올랐던 운동 후의 출출함 등 이유가 있겠지만 대접하는 이에 대한 감사가 가장 큰 이유인 것 같았다.

자리를 일찍 비워주는 것도 베푸는 이에 대한 감사의 표시일 것 같아 곧 일어나 나오는데 콩이 섞인 한 움큼 크기의 떡까지 주었다. '복' 떡 이란다. 영리를 추구하는 사업가의 발상으로 많은 이들이 즐거워하고 이를 위하여 며칠째 직원을 동원하여 준비 했을 수고로움에 깊은 고마움을 느꼈다. 떡국에 만두를 넣는 이유는 둥근 모양의 피에 싸인 맛있는 소가 복(福)을 담은 듯하여 그처럼 복을 받으라는 의미를 지닌다고 한다. 기업가는 우리들에게

복을 주었고 우리는 이미 복을 받은 새해 아침을 맞이했다.

떡국을 먹은 후, 간간히 날리는 눈을 맞으며 김수녕양궁장에서 트랙을 몇 바퀴 돈 뒤에 운동기구로 몸을 푸는데 문득 '문화'라는 말이 떠올랐다. 일전에 만난 전직 교장선생님께서 여러 번 하시던 말씀이었다. 그때 이해가 안 되어서 집으로 오자마자 사전을 펼쳐 보았다. 문화란 사전적 의미로 자연 상태에서 벗어나 일정한 목적 또는 생활이상을 실현하고자 사회구성원에 의하여 습득, 전달되는 것이라고 정의한다. 끊임없이 진보향상하려는 인간의 정신적 활동이라는 것이다. 16년째 맞는 '새해맞이 떡국행사'는 이미 지역문화로 자리 잡아서 해마다 더 많은 사람들이 모여왔다. 그 기업가는 자신만의 선행문화를 우리 지역에 창출하였고, 사회적 신분에 상응하는 베품의 문화로 많은 이들에게 감명을 주었다.

교감

지구의 허파라는 아마존이 보름이 넘도록 불타고 있다고 방송 리포터가 소식을 전한다. 기후 변화의 영향 때문일까, 가뭄, 장마, 혹서, 지진, 태풍, 산불 등 예상하지 못한 재해가 세계 곳곳에서 일어나고 있다. 지난봄 식목일 전날, 강원도 산불 소식이 전국을 강타했다. 화마는 고성, 강릉, 속초 등 동해안 지역 530ha(160만평)의 산림과 주택, 건물을 잿더미로 휩쓸고 갔다. 봄이 지나가는 길목에서 일어나는 이곳의 산불은 국지적인 바람 '양강지풍'의 위력 때문이란다. 전국의 헬기가 뜨고 소방차가 동원되었지만 바람의 세기가 나무를 쓰러뜨릴 수 있다는 산불은 삽시간에 번져 나갔다. 영농철을 맞은 농가에 더할 수 없는 상처를 남겼고 수많은 동물의 희생도 컸다고 한다. 자연의 재해 앞에 인간의 한계를 보여주었다.

처참한 화재현장에는 어느 불구덩이에서 나왔는지 누렁이 큰 소의 등이 반쯤이나 검게 그을린 채 그렁그렁한 큰 눈을 더 크게 뜨고 두리번거리고, 온몸이 숯 검정이가 되다시피 한 개 한 마리는 자기를 구해준 소방대원의 주위를 떠나지 않고 있었다. 걷잡을 수 없는 불길은 4만수 이상의 가축에게 피해를 입히고, 5천 마리가 넘는 동물은 진료 중이라고 한다.

언젠가 일상을 함께하던 동물을 떠나보내는 사람의 정에 관한 기사를 본 적이 있다. 윤 모(某)씨는 키우던 강아지를 병으로 잃었다고 하였다. 갑작스러운 죽음에 충격받은 윤 씨는 잠을 못이루고 울기만 하다 '애니멀 커뮤니케이터'에게 도움을 요청했다고 한다. '애니멀 커뮤니케이터'란 동물과의 정신적인 교감을 통해 동물의 마음을 읽고 전달 해주는 사람이란다. 애니멀 커뮤니케이터는 두 종류가 있다고 하는데, 동물 행동학에 근거해 동물의 생각을 읽어내는 경우와 '텔레파시'로 동물과 교감한다는 부류라고 하며 '텔레파시'로 죽은 동물의 영혼과 대화 할 수 있다는 영혼 교감에 이끌려 동물의 사진과 이름, 성별, 나이 등 간단한 프로필과 강아지에 묻고 싶은 여섯 가지를 이 메일로 전송하면 죽은 강아지와 교감하여 답변을 주고받는 정신적인 치유방식이라고 했다. 그리고 '잊지 않고 배려해줘서 고맙고 마음에 내 자리를 비워두고 있으면 꼭 인연을 만들어 다시 올게'라는 답변을 전해 듣고 윤 씨는 안정감을 찾았다고 한다.

8년 전 일본에서 원전사고가 있던 날이다. 거대한 해일이 밀려오고 방사능이 있는 곳에서 모든 것이 떠나갈 때 갑자기 구조대에게 소 먹이를 보내 달라는 다급한 목소리가 들려 왔다고 했다. 농부는 30여 마리의 소가 목장에 있는데 먹이가 떨어져서 굶고 있다고 말을 했단다.

목장주인은 자기와 함께 하던 가축을 두고 떠날 수 없다며 죽음의 길도 같이 가겠다는 거였다. 죽음이 눈앞에까지 왔는데도 끊을 수 없는 동물과 사람 간의 사랑, 생사를 같이하려는 마음과 생명의 우열을 가리지 않는 목부(牧夫)의 심정이 전파를 타고 가슴속으로 흘러들어 왔다. 몇 년 전, 우리 농촌에 AI 전염병이 있었다. 수년간 기르던 가축이 매몰되어가는 현장을 보며 눈물을 흘리던 농부의 모습이 떠올랐다. 동물에 대한 정을 귀중하게 여기는 사람의 마음은 지구촌 어느 곳이나 마찬가지인가 보다.

오늘도 많은 이들에게 수십 통의 문자가 오고 간다. 상투적인 말잔치와 수식어가 풍성하지만 진정한 마음이 전해오는 감정과 느낌은 그리 많지 않다. 때로 말이 없는 작은 애완동물에게서 가슴으로 와 닿는 감흥을 느낄 때가 있다. 외출에서 돌아오면 꼬리를 흔들며 반색을 하는 녀석에게 품을 내어주면 가슴에 폭 안겨온다. 한마디 말없이도 서로의 마음을 읽어주는 우리는 분명 교감이 이루어지는 사이임이 틀림없다.

그녀

4월의 빈 들녘, 나뭇가지에 찢어진 비닐 한 장이 걸려 있다. 그것이 풍향계라도 되는 양 비닐 조각을 보며 바람의 방향과 세기를 가늠해 본다. 완연한 봄 날씨이건만 아직 몸이 사려지는 건 왜일까. 어느 해 였던가 4월의 추위가 생각나서이기도 하지만 몸이 성치 않으니 봄이 왔어도 울울한 마음이었다. 세계 대유행인 바이러스가 창궐할 때 나에게 변고가 생겼다. 시장을 다녀오던 중, 총총 걸음이 엉키어 현관 앞에서 고꾸라지면서 벽에 머리를 부딪쳤다. 순간 콘크리트 벽이 물컹 들어갔다 나오는 느낌이었다. 진료를 한 의사는 목뼈에 금이 갔다고 했다. "하마터면 큰일 날 뻔 했습니다."하는 말을 듣고 한 발짝 앞이 저승길이 될 수 있었다는 것을 실감하였다.

그때, 오래 전부터 알고지낸 친목모임의 회원이 요양병원에 입원하였다는 이야기를 들었지만 바로 문병을 가지 못했다. 그렇게 여름을 보내고 가을이 왔다. 시내에서 멀지 않은 곳에 있다는 병원에 예약해 놓았지만 한 쪽문은 닫힌 채 일일이 문병객을 통제하고 있었다. 방문자 명단에 서명을 하고 3층으로 올라갔다. 잠시 후, 요양보호사가 밀고 나오는 휠체어에 앉아 있는 그녀는 화장기 없는 맑은 얼굴이었다. 비대했던 몸집도 다소 줄어든 듯 홀가분한 모습이어서 휠체어만 아니었으면 오히려 건강이 한결 좋아보였다. 우려했던 거와는 달리 대화가 되었다. 오전과 오후에 3시간씩 물리치료를 받는다고 담담하게 말하는 그녀에게, 문병이 늦어진 이유와 회원들의 소식을 알려주고 병원에 오게 된 이유를 물었다. 임대아파트 주민이었던 그녀는 이웃끼리의 분쟁을 중재하려다 쓰러졌다고 말했다. 그러면서 앞으로 사회복지사 공부를 할 계획이고 퇴원하면 조용한 시골에 가서 노인들에게 음식 봉사를 하면서 살겠노라고 했다. 장래 계획과 꿈을 말하는 그녀의 눈빛에는, 전쟁을 승리로 이끈 장수의 오기(傲氣)처럼 '나 아직 살아 있어' 하는 결연함이 보였다.

학교 급식소에서 식품영양사로 근무했던 그녀는 참 억척스럽게 살았다. 공무원이었던 남편과의 사이에 쌍둥이 딸을 포함하여 5남매를 두었다. 부부가 받는 월급이 솔찬했을 터임에도, 아이들 교육비와 생활비를 충당할 수 없었던지 공직을 그만두고

도배하는 일을 배워 공사현장을 다녔다. 때로 이웃이나 알음알음으로 들어오는 일은 밤에도 했으니 봉급생활자보다 수입은 훨씬 나았으리라. 쌍둥이 자매를 등교시킬 때는, 짐자전거 뒷자리에 나무 빨래판을 얹어놓고 그 위에 좌우로 두 딸을 앉혀서 학교에 데려다주고는 하였다. 그녀는 지프(jeep)를 타고 다녔는데 시동을 걸 때마다 '크럭 크르릉' 하는 소리가 동승자를 불안하게 했지만, 그녀가 좋아하는 트롯 메들리를 듣는 데는 이상이 없었다. 언제나 차 안에는 풀 통 사다리, 나무 받침대, 자, 그리고 벽지와 종이 뭉치 등이 너저분하게 실려 있었다. 그런데 그렇게 땀이 절게 벌어 모은 돈을 지인에게 빌려주었다 떼여서 속을 태우기도 했다. 일용 노동자처럼 옷에 풀칠과 머리에 먼지를 묻힌 채 일하다가도 모임 날엔 단정한 차림을 하고 참석을 했다. 열심히 사는 모습에 우리는 응원을 했고 가끔 노래방에서 기분을 풀고는 하였다.

어느 누가 자기 삶에 혼신의 힘을 쏟지 않는 이 있을까마는 그녀는 안팎으로 정말 치열하게 살았다. 그런 그녀가 이제 기본적인 생리현상도 스스로 해결하지 못하는 처지가 되었다. 2시간의 면회시간이 끝나고 보호사가 휠체어를 밀고 들어갈 때, 나는 지난날 용감했던 그녀의 건강이 되돌아오기를 바라고 영절스러운 그녀의 '꿈'이 꼭 이루어지기를 기원하였다.

행복

어느 날 텔레비전 채널을 돌리던 나는 한 여인이 하는 말을 들으며 채널을 고정시켰다. "왜 사람들은 나를 딱한 눈으로 보는지 몰라요?" 이렇게 말하는 거다. 그녀는 두 아들을 둔 엄마였는데 열일곱 살 난아들은 뇌성마비고, 열세 살 난 아들은 지체장애인이었다. 한명도 아니고 두 아들 모두 장애인인데 그녀는 행복하다고 했다. 행복이란 큰 산 너머에 있는 것이 아니고 이웃집 가죽나무 높은 가지위에 걸린 별도 아니라고 말을 이었다. 그녀는 초등학교 시절 소풍가서 보물찾기 하듯이 숨어있는 행복을 찾아왔단다. 그러면서 자신감 있는 표정으로 '지금 행복하다'고 하였다.

그때 '행복'이란 단어에 생각이 멈추었다. 행복이란 과연 무엇일까? 혹자는 종교를 갖는 목적이 행복을 얻기 위해서라고 했고, 법륜스님은 즉문즉설에서 '행복을 찾고 싶다'는 문(問)자의 답(答)으로 '괴로움이 없으면 행복'이라고 했다. 우주의 모든 사물은 늘 돌고 변하여 한 모양으로 머물러 있지 않기에 '이것이 행복이다'라고 할 수 없으며 행복의 가치도 같을 수 없다고 하였다. 미국 하바드 대학에서 '행복'에 대해 강의 한 긍정 심리학교수 '탈벤 샤하르'는 행복 하고 싶다면 '행복한 최적 주의자가 되라'고 했다. 그가 말하는 최적 주의자란 '나는 지금 충분히 괜찮다'라는 거란다. 살아오면서 나는 실체 없는 행복을 찾았고, 남과 비교를 하며 행복의 크기를 재었다.

'소 확 행'이란 말이 있다. 어디엔가 있을 거 같은 무지개 빛 행복을 쫒아가기 보다 소소하지만 확실한 일상의 행복을 즐기자는 말이다. 자칫 속없는 겉모습만 따르려는 세태에서 왠지 속 있는 말처럼 느껴진다. 작가 목성균님의 문학 작품 〈누비처네〉에서도 행복이 무언지 잘 드러나 있다. 「자갈논 두 자락을 게눈 감추듯이 날려버린 주인공은 고향으로 내려가지 못한다. 객지에 있던 이들이 모두 귀성하는 추석 밑, 아내가 첫딸을 낳고 백일이 지나도록 오지 못하는 자식의 마음을 아는 아버지는 궁여지책으로 일침을 가하는 편지와 소액환을 보낸다. 추신으로 올 때, 시골에서는 귀한 물건인 어린애의 누빈 포대기를 사오라는 당부 말씀과 함께. 주인공은 누비처네를 사들고 고향으로 내려와 명절을 쇠고 누비처네를 두른 아내와 처가에 가는 도중, 등 뒤에 업힌 아이가 돌연히 펄쩍 펄쩍 뛰면서 소리 내어 웃을 때….」 그 순간 어린 딸의 천진한 웃음소리에서 인간의 행복이 무엇인지 깨닫게 되었다는 내용이다. 행복이란 멀리 있거나 높이 있는 것이 아니라는 대목이다.

돌아눕거나 먹고, 배설하는 인간의 가장 기본적인 생활조차 스스로 할 수 없는 덩치 큰 두 아들의 수발을 힘겹게 들면서 행복이라고 말하는 엄마. 한번뿐인 우리 인생, 영원하지 않을 이 순간을 다른 무엇에 비교하지 않고 살아간다. 자기 그릇에 담긴 대로 만족하며 살아가는 그녀의 마음은 수행 끝에 얻어지는 수도승의 해탈한 경지가 아니고 무엇이랴. 뒤늦게 지나간 시간을 돌아보고야 '그때가 좋았구나, 행복이었구나' 라고 늦게 깨닫는 나는 그녀의 말이 머릿속에서 떠나지 않았다.

제6부

딸아!

딸아

주부

버리기

스마트폰

미호강(江)

농수산물 도매시장

강감찬 장군

독립운동가 정순만

딸아!

꽃샘추위가 기승을 부려도 어느새 봄은 성큼 와 있구나. 오랜만에 너에게 편지를 쓴다. 네가 고등학교를 졸업할 때였으니 벌써 10여년이 흘러갔네. 이제 너를 보내는 마음은 넓은바다를 항해하는 배에 홀로 태워 보내는 심정이 되어. 지나간 30여 년의 세월을 돌아보니 감회가 새롭구나. 너를 처음 품에 안고 '건강하게만 자라다오' 간절한 기도를 했단다. 그런데 네가 자라면서 그 기도는 점점 변해갔고 학원으로 또 다른 학원으로 너를 몰며 살아왔다. 과외교사를 집으로 부르기도 하고, 학교가 끝나는 시간에 맞춰 차에 태우고 다녔지. 그때, 너는 볼멘소리를 했고 불만의 표정을 지었지만 이탈하지 않고 따라 주었다. 그런 엄마의 욕심에도 3월의 신부가 되어 내게 이런 기쁨을 주니 기쁘고 고맙다.

네가 아주 어렸을 적 이야기이다. 너의 작은 몸이 한 손에 안기던 때, 몸을 씻기려고 물에 넣었더니 위험을 느꼈는가 보더라. 꼬물거리는 작은 두 손으로 내 손목을 꽉 움켜잡더라. 나는 그 순간 어미로서 충실하게 살 것을 맹세하였다. 감기에 걸려 기침을 하며 잠들지 못하는 밤에는 어찌할 줄 몰라 하다 수지침을 놓아 주었다. 그랬더니 바로 혼곤하게 잠이 드는 모습을 보고 가까스로 안도의 숨을 쉬기도 했지. 네가 서너 살 쯤이었을 게다. 초등학교 옆에 살 때였지, 비오는 날, 운동장 씨름판에서 모래놀이에 빠져 함빡 비를 맞고 있는 네 모습을 보고 얼마나 놀랐는지 모른다. 또, 유치원 때 였던가, 그날은 쌍둥이 체육관으로 수영장 견학을 간다고 했다. 너를 등원시키고 어미는 만학도로 졸업시험 준비를 하다가 잠시 휴식하러 복도에 나와 있었다. 그때 시야에 도서관 높은 계단을 엎드려 손으로 짚고 올라오는 너를 보았다. 그 순간 또 얼마나 놀랐는지 모른다. 반갑고 기쁜 마음은 그다음이었다. 어미를 찾아 도서관을 오려면 건널목을 건너고 차량통행이 빈번한 위험한 길을 걸어와야 하는데 혼자서 어떻게 왔더냐. 그때를 생각하면 지금도 오금이 저린다.

초등학교 입학하던 날은 학교 게시판에 붙어 있던 너의 이름 석 자를 보고 감격도 했지. 2학년 때인 거 같다. 어미가 하는 일을 도와준다고 삐뚤빼뚤한 글씨로 명함을 만들어 같은 반 친구들에게 나누어 주었는가 보더라. 자모 회의 날, 회원아들이 받아왔다며 내미는 손바닥 반만 한 크기의 종이쪽을 보았다. 거기에는 어미이름 밑에 네 이름도 쓰여 있고 오시는 길도 그려져 있었다. 이렇게 곳곳에서 너는 내게 전혀 예상하지 못한 기쁨을 안겨 주었다. 초등학교 고학년 때 어느 날은 둘이 함께 영화관에 갔다가 서로 마음이 어긋나서 돌아올 때는 각자 다른 버스를 타고 집에 왔었지, 너도 그일 기억하고 있지. 중학교 다닐 때는 사춘기를 겪는 것 같았고 고등학교 때 늦게 집에 들어온 날 쓴 반성문은 지금도 보관하고 있다. 대학교 졸업식 날은 총장님의 축사 말씀에 감동의 눈물을 흘리는 어미와는 다르게 사진 찍기에 여념이 없던 딸아! 그동안 직장생활의 어려움도 잘 이겨 내고 오늘을 맞이했으니 고맙기 그지없구나. 내 생의 마디마디에서 맹렬여성을 흉내 내며 밖으로 치닫던 어미의 마음을 너는 안으로 당겨 주었다. 이런저런 많은 일들 중에 간간이 의견충돌로 마음이 상했던 적도 있었지만 지금 생각해보니 일곱 빛깔의 무지개 같구나.

이런 마음이셨던가 보다. 친정어머니가 나를 시집보낸 후 하셨던 말씀이 귀에 쟁쟁하게 들려온다. “너의 목소리가 들리는 것 같구나.”하셨던 그 말의 깊이를 오늘에야 헤아리게 된다. 사실 아는 것이 부족했던 어미는 잘하고 싶은 마음과 달리 많이 허둥대며 살아왔음을 고백한다. 살갑지 못했던 것도 미안하고 간혹 너를 힘들게 했던 점 용서해라. 하지만 일상에 최선을 다하려고 노력했고 너에 대한 사랑에는 조금도 변함이 없었다는 것은 너도 알지? 조선대(造船臺)에서 배를 띄우는 심정으로 네게 한마디 당부한다. 열심히 살아 가거라. 네가 날아간 빈 둥지를 보며 나는 옛일을 떠올릴 것이다. 쉼이 필요하면 언제든지 와서 쉬고 가려무나. 부디 너의 앞날에 행복과 행운이 가득하기를 빌어 본다.

주부

세밑, 드디어 대장정을 마쳤다. 의도하지는 않았지만 새해맞이 대청소를 한 셈이다. 이사 온지 한 해하고도 넉 달이 지났다. 포장 이사였지만 낯선 손놀림으로 제자리를 찾지 못한 살림살이가 주인의 손길을 바라는 기색이 역력했다. 젊었을 때 하는 이사와 달리 힘이 들었다. 이삿짐을 싸면서 풀면서 30년 넘게 안주인의 손길이 뜸했던 살림은 정리할 게 많다는 것을 알았다. 안정이 되면 다시 정돈을 해야겠다고 생각하고 대충 정리를 했던 터였다. 그래서 이번에 싱크대 그릇 정리부터 시작했다. 냉장고, 팬트리 수납장을 비우고 채우며 옷장, 거실, 안방에 있는 운동기구를 옮기고 베란다의 화분정리까지 끝냈다. 이사 올 때 많은 살림을 버리면서 이제는 작은 살림 도구 하나라도 절대 사지 않겠다고 다짐했건만, 다시 빈 쪽을 메우려고 물품을 사왔다. 공간 박스를 넣고 소품 몇 개를 더하니 훨씬 살림이 안착된 기분이다.

일과 가정을 병행했던 나는 결코 집안일을 쉽게 생각하지는 않았지만, 밖의 일 못지않게 집안일이 어렵다는 것을 늦게 실감한다. 문득 지인의 말이 떠올랐다. 초등학생인 아이가 담임 선생님의 엄마는 무엇 하시니? 라고 묻는 말에 "우리 엄마는 집에서 놀아요."하고 대답을 했단다. 그 이야기를 듣고 충격을 받아 밖의 일을 하기로 마음먹었다며, 집안일은 열심히 해도 표가 나지 않고 시어머니께서도 돈 벌어 오는 동서를 우선 생각해 주는 것 같더라고 했다.

지난해 여름, 일본의 인터넷 공간을 뜨겁게 달군 '포테사라' 논쟁이 있었다. '포테사라'는 포테이토 샐러드를 줄인 말인데, 우리 식으로 보면 멸치볶음처럼 밥상 위의 반찬으로 일본 식단에서도 흔히 먹을 수 있는 음식이란다. 아이를 데리고 마트에 온 엄마가 반찬 코너에서 '포테사라'를 집어 들자, 옆에 있던 나이든 남성이 "엄마라면 '포테사라' 정도는 직접 만들어야지."하고 툭 한마디를 던졌다고 한다. 팔려고 내놓은 반찬 가게에서 잘못을 지적 받은 듯이 여성은 무안을 당했다. 우연히 듣게 된 말, 한마디에 주부가 '그 정도는 당연히 해야 한다'는 암묵적 강요가 켜켜이 담겨 있었다고 했다. 이 장면을 목격한 이가 트위터에 올리고 13만 번 이상 리트윗 되면서 논쟁을 불러일으켰다. 일본인들 역시 엄마를 대하는 태도가 우리나라 아내·엄마·주부들이 받는 상황과 별반 다르지 않음을 보여 주었다.

매일 반복되는 몇 번의 식사 준비와 집안 정리는 당연히 엄마의 몫인 줄 아는 주부의 고된 일상, 남들은 살림에서 해탈할 나이에 뒤늦게 주부로 입문했다. 아침에 창문을 활짝 열고 새바람을 맞으며 청소를 한다. 정신이 맑아지면 한결 개운해진 마음으로 가계부를 적는다. 소비한 항목을 써 내려가다 '이제 와서 뭐 하려고' 하는 자조적인 마음도 들지만 여태껏 몰랐던 한 달 생활비를 알게 되었다. 쓸고 닦으며 살림의 맛도 배워 가는데, '회식이 있어 식사 준비 안 해도 된다'는 가족의 전화는 얼마나 반가운지…. 오늘도 꽉 채운 하루, 삶아서 빨아 말린 빨래의 보송보송한 감촉이 손끝에 닿는다.

버리기

아침에 일어나 거실커튼을 열었다. 그런데 이게 웬일인가. 밤사이 창밖으로 내려다 보이는 아파트 주차장 옆에 또 하나의 산이 생겼다. 장롱, 탁자, 가전제품 기름때 찌들은 프라이 팬 등이 분류되어 크고 작은 산더미를 이루고 있다. 입주가 시작되고부터 쌓였다 치워지기를 반복하고 있는 풍경이다. 버리기에는 아깝다고 아직은 쓸 만하다고 선별되어 이곳까지 왔다가 결국 버려지는 세간살이들…. “주택살림의 반은 버려야 되요.” 내가 아파트로 이사한다는 말을 듣고 지인이 이런 말을 했다. 그때만 해도 그 말을 귀 밖으로 들었다.

그런데 막상 이삿짐을 싸려니 버려야 할 물건이 너무 많았다.

16년 전에 집을 짓고 샀던, 이제 길이 들어 편안해진 식탁은 아깝지만 버려야 한다. 새 아파트에는 붙박이 다용도실이 갖추어 있으니 서랍장도 버려야 한다. 컴퓨터 책상, 음향기기, 운동기구 등 길이를 재고 넓이를 생각해 보아도 새집 아파트 구조와는 맞지 않았다. 이사만 아니면 내 생전 바꿀 일이 없을 가재도구들이다. 불과 30여 년 전만 해도 집안의 행사는 대개 집에서 많이 했다. 그때 필요하다고 생각되어 산 은행나무 교자상은 한 번도 사용해 본 적 없는데 이삿짐에서 우선 빠져야 했고, 이사를 하려니 경제적 가치로는 전혀 맞지 않는 버리기도 있다. 에어컨과 커튼을 놓고 가는 마당에 사용하다 남은 두루마리 화장지는 둥치 채 들고 왔다. 평소에는 나중을 위해 모아 둔다고 생각했던 것이 이렇게 많은 짐을 만들 줄 몰랐다. 건강을 위해 넣어두었던 둥글래, 칡, 쑥, 오가피, 우슬, 약초들이 꺼내고 꺼내도 줄줄이 나왔다. 사업설명회에 가서 받아온 사은품은 왜 이리 많은지….

자질구레한 살림을 고르며 심플(simple)하게 살지 못하는 자신이 왠지 구차스럽다는 자괴감까지 들었다. 창고에서 쟁여 놓았던 살림을 들추어내니 그 속에는 지금은 고인이 되신 두 어머님의 향수 어린 흔적도 있다. 시어머니께서 주신 나무 함지박과 친정어머니가 한 땀 한 땀 손수 만드신 조각 상보는 다시 간추려 모은다. 살면서 모으기를 잘 하는 것도 중요하지만 버리기를 잘하는 것 또한 중요하다는 깨달음을 이삿짐을 싸면서 알게 되었다.

이사를 할 때 어려운 짐 중의 일부가 화분과 책이다. 몇 개 안 되는 화분은 이웃에게 주었다. 문제는 책이었다. 언젠가 여유가 있는 시간에 보려고 전집으로 사놓은 책은 묶음도 풀지 못한 채 색이 누렇게 변해 버렸다. 한 권 한 권 살 때 정신을 모아서 사들인 책들, 영혼이 함께 버려지는 듯한 아쉬움으로 자꾸 훑어보게 되고, 버렸다가 다시 집어 들기를 반복했다.

정이 묻어있는 크고 작은 살림 하나하나가 모두 아깝다는 생각을 떨쳐 버릴 수가 없다.

오십 여 년 전의 일이 떠오른다. 아침이면 동네 스피커에서 새마을운동 노래가 울려 퍼지던 시절이었다. 그때는 무얼 버린다는 생각은 할 수 없었고, 버릴 것도 없었다. 먹는 음식은 물론이고 의복만 해도 팔이나 무릎 부분은 기본으로 한두 군데 기워 입었고, 덧대어 꿰맨 양말은 너나없이 자연스럽게 신었다. 새것은 오히려 낯설었다. 힘겨운 시대를 살아온 세대는 잠재적 의식 속에 버린다는 생각은 죄스러운 행위로 자리 잡고 있다.

그러나 어느 시간이 오면 요모조모 소중하다고 여겼던 모든 걸 놓아 버려야 할 터이다. 그때는 아무것도 필요 없을 허접스러운 것들을 너무 많이 부여잡고 살고 있다는 생각에 잠겨본다.

스마트폰

MZ 세대는 말했다. '태어나니까 폰이 있었어요.'라고. 나 어렸을 적에는 한마을에 잘해야 한두 대 있던 전화기였다. 이장님 댁이나 부잣집이었다. "전화 왔다"는 전갈에 뛰어가서 받았고, 가정사를 온 동네가 공유하던 때와는 확연하게 다른 차원의 세상 이야기이다. 요즘 폰은 식구 수대로 각자 하나씩 갖고 있고, 어느 때는 두 개의 핸드폰을 혼자 가지고 다니기도 한다.

누구나 스마트폰이 손에 들려있고 스마트폰의 세상에 갇혀 사람과의 대화보다 소셜 미디어 등을 통해 소통하는 것에 익숙해져 있다. 2009년에 우리나라에 들어온 스마트폰, 누구하나 강요하지 않았어도 자발적인 학습으로 생활의 일부가 되었다. 사람의 생각을 변화시키고 언어의 장벽, 문화의 장벽도 허물어 버렸으며 거대한 문명은 생활을 많이 변모시켰다. 데이터가 고객의 마음을 읽어주고, 휴대폰을 통해 학생은 공부하고 직장인은 행정사무를 본다. 주부는 집밖에서도 집안일을 한다. 어디서나 접속 가능한 정보 통신환경은 생활을 편리하게 했지만 부정적인 측면 또한 있다. 양날의 칼처럼 각종범죄에 노출되고 응용될 수 있기 때문이다.

어디를 가나 핸드폰 삼매경에 잠겨 있는 이들, 유모차를 밀고 가면서 스마트폰을 보고 있고, 건널목 신호등 앞에서조차 눈을 떼지 못한다. 한 침대에 누운 부부도 서로의 페이스 북에 댓글을 달며 자신만의 놀이에 빠져 있다. 신체의 일부가 되어 잠시라도 손에 들고 있지 않으면 불안해지고, 자식에게서 오는 전화 횟수로 효를 가늠하기도 한다. 새로운 문명의 기류를 타지 못하면 신세계 아마존 강을 건널 수 없음을 입증이라도 하듯이, 아무튼 모두 sns에 중독되어 있다.

모로 잠이 들었다. 옆의 메모장에는 '시작▶톡톡 2번 누름▶끝날 때 톡톡' 검정색 굵은 펜으로 쓰여 있다. 오래 사용했던 폴더 폰을 바꿔 온 지 며칠째, 남편은 아날로그와 디지털문명의 뒤엉킴으로 몸살을 앓고 있다. 퇴근한 딸아이에게 배우고 더듬거리는 실력의 나에게 되묻지만 도통 진전이 없다. '진즉에 게

으름을 피우지 말았어야지' 하는 책망의 말을 입속에 간신히 물어 삼킨다. 21년 전의 일이다. 남편이 40여 년 간 중등교사로 재직할 때만 해도 상용화되지 않았던 신문명. 그동안 몇 번 새로 나온 폰으로 바꿔준다고 했어도 괜찮다고 하더니만, 어느 날 동료 노인 몇 분이 사진을 찍고 음악은 물론 TV처럼 시시각각 전하는 세상소식을 보고 나더니 마음이 급변했다. 그리고 스마트폰을 가져온 날로부터 고통은 시작되었다.

처음 몇 날은 새로운 장난감에 신기함을 느낀 아이처럼 폰을 만지작거리면서 곧 다가올 미지의 세계에 대한 기대감에 부풀어 있었다. 콕콕 자판을 찍어보고 단축 전화번호를 누르며 오밤중에도 연습을 한다고, 벨소리에 깜짝 놀라 깬 적이 한 두 번이 아니었다. 강산이 네 번 변하도록 함께 살아오면서 어떤 무엇에도 저토록 열성을 보인 적이 없었다. 그렇게 몇 날을 보냈다. 그러나 안간힘을 쓰는 것에 비해 넓은 세상은 쉬 열리지 않았고, 기억력도 따라 주지 않는 진도에 불만을 토해 냈고 짜증을 부렸다. 컴퓨터를 배우지 않았으니 유연하지 못한 손가락은 옆의 자판을 같이 눌렀나 보다. 애먼 손가락을 납작감처럼 생겼다고 탓하며 심지어는 만든 이가 잘못 만들었다고도 했다. 앉아서도 누워서도 골몰하게 빠져 있더니 이젠 아주 지쳐버렸다. 보는 이가 이토록 답답한데 본인은 오죽하랴. 신문명과 충돌하면서 남의 탓과 마음대로 움직여지지 않는 자신의 손가락을 원망하며 속을 썩이다가 드디어 결단을 내렸다. 그리고 이튿날, 옛날 폰으로 바꿔 왔다.

'인류는 진화해야 위대한 역사를 만든다.'고 했는데….

미호강(江)

어디서 오는 걸까. 하늘에서 새처럼 날개를 펴고 활공하던 패러글라이딩 하나가 서서히 내려오고 있다. 솜사탕 같은 억새꽃을 감상하려는 걸까. 강물을 보려 함일까. 발아래로 온 세상을 볼 수 있는 신종 스포츠다, 옥산교 아래로 흐르는 미호천은 가을을 담고 유유히 흐르고 있다. 물은 생명의 근원, 인류 역사는 물줄기를 따라 발전해 왔다. 중부권의 젖줄인 미호천은 금강 지류 하천 가운데 가장 길다. 충북 음성에서 발원하여 진천 증평 청주 옥산을 거쳐 세종 합강까지 90km를 흘러간다.

한국의 대표적 모래하천인 미호천은 1970년대까지 천연기념물 황새의 주요 서식지였고, 세계적 희귀 물고기인 미호종개의 고향이기도 하다. 미호천은 2014년 통합 청주시가 출범하며 세종특별자치 조성과 함께 가치가 새롭게 조명돼 왔고, 미호천 유역개발과 보전은 지역사회 핵심의제로 부각됐다. 미호천이라 알고 불러온 명칭은 일제 잔재에 의해 붙여진 이름으로 규모면에서도 원래의 이름인 미호강으로 표기되어야 한다는 운동이 본격적으로 일어나고 있다. 시대의 변천에 따라 농경사회에서 산업화 사회로 변화하는 과정에서 각종 오염물질의 유입으로 하천 수질은 급격이 악화되어 도민들로부터 외면 받아왔다. 이에 지난 9월14일 이시종 충북지사는 미호강을 "맑은 물이 넘쳐흐르는 가운데 사람과 물고기 철새가 함께 숨 쉬는 곳으로 되살려 도민들에게 돌려드리겠다."고 말했다.

'미호강 프로젝트'는 이시종지사가 역점을 둬 추진하는 사업 중 하나로 내년부터 2032년까지 총사업비 6천525억원 (국비1천999억원, 도비 589억원, 군비 1천710억원, 민자 2천227억원)을 투자하는 사업으로 △수질1급수 목표복원 △수량(물)대량 확보 △친수여가 공간 조성등 크게 3개분야 14개 사업으로 구성돼 있다. 충북 도의회는 10월14일 393회 임시회 3차 본 회의에서 '미호강 종합개발 마스터플랜 수립'을 위한 연구 용역비 8억원을 통과시켰다. 물이 살아있는 '미호강 프로젝트'는 각계각층의 여론조사, 도민의견을 수렴할 것을 주문했고, 29일 공청회를 개최했다. 미호천의 수질은 물론 갈수기 하천 바닥이 드러날 정도로 건천화 된 하천의 물을 확보하고, 정북동의 토성과 원평동 일원의 놀이시설과 식물원, 오송읍에 대규모 백사장을 조성하는 내용이 주요 골자이다.

또한 미호천 주변에는 바이오, 반도체, 태양광, ICT(정보통신기술), 이차전지, 자율 주행차, UAM(도심항공교통), 화장품 등 충북의 신산업이 포진돼 있다. 운영위원회는 사람과 자연이 함께 어우러져 상생할 수 있는 도시문명으로 되살리고자 온라인 총회를 열었다. 조직구성과 운영 활동방향을 정립하고 친수여가 공간중의 하나인 파크골프 시설확충에 대해서도 언급했다. 파크골프는 '파크와 골프'의 합성어로 공원에서 플라스틱 공을 사용해 남녀노소 누구나 쉽고 간단하게 즐길 수 있는 운동으로, 최근 중·장년층들 사이에서 문화 체육활동으로 인기를 얻고 있다.

2040년 인구 94만의 부푼 꿈을 안고 물과 사람이 공존하는 세상, 깨끗한 물이 넘쳐흐르고 물고기와 철새가 노닐며 사람들이 쉬고 즐기는 '미호토피아', 충북을 대표하는 친수공간으로 되살리자는 큰 취지를 담은 '미호강 시대' 서막을 연 '미호 강 프로젝트'. 이시종 충북지사는 미호강을 충북발전을 이끌어온 역사이자 미래 희망이라고 강조했다. 한반도의 허리, 국토내륙의 광역생태 축을 중심으로 중부권 발전은 가속화 할 것이다. 새벽해가 동천(東天)에서 솟아오르듯 옥산지역의 발전도 옥산의 동천(東川)에서 번어 오르리라.

농수산물 도매시장

삶의 경륜이 쌓이다 보면 예측 감각이 발달하는 걸까. 옛날 어르신들의 예견은 거의 맞았다. 나에게도 35년 공인중개사 활동을 경험으로 익힌 나만의 예지능력이 있다. 다른 어떤 정보채널 없이 어디선가 중장비의 굉음과 콜타르 냄새가 맡아지면 그곳은 분명히 개발의 새 바람이 불고 있다고 보면 된다. 인근에 있는 공인중개사 사무소는 이재에 밝은 이들의 발길이 잦아지고 좋은 투자처를 찾는 전화 문의가 쉴 사이 없이 오고간다. 이 때만큼 유익한 정보로 의뢰인 자신에게 도움을 주는 공인중개사가 우러러보일 때도 없다. 지금 옥산의 현황이다. 옥산시내로 진입하는 도로 확장공사로 인해 자욱한 흙먼지가 날리고 갓길은 굴착기 덤프트럭 등 공사 장비로 어수선하다.

아침저녁 출퇴근 시간에는 정체된 차들의 행렬이 꼬리를 물고 있다. 10여 년 전 만 해도 조용하고 한적했던 시골마을 옥산, 2014년 '청주 청원 통합'의 상징사업 중의 하나인 '농수산물 도매시장' 이전 계획이 발표되었다. 청주시가 농림축산식품부의 '2019년 공영도매시장 시설 현대화 사업' 공모를 통해 선정됐다. 지난해 7월 27일 토지 보상절차와 농수산물 도매시장 시설에 관한 주민설명회'를 시행했고, 청주시는 현대화 사업건설공사 타당성조사 용역 최종 보고회를 개최 했다. 현재 지주 40여 명의 토지보상도 순조롭게 진행 중이다. 농수산물 도매시장은 1988년 개장한 봉명동시대 막을 내리고, 이제 옥산면 오산리 606-8번지 일원의 새 사업지로 이전된다. 당초 옥산 농수산물 도매시장은 지하1층 지상2층으로 계획되었고, 부지는 기존 봉명동의 도매시장보다 3.5배 연 면적은 2.5배였다.

지난 2021.6.25. '기존 계획보다 20% 확장이전 된다'고 다시 발표되었다. 총 사업비도 1,368억원에서 1,919억원으로 551억이 늘어났다. 건축분야에서는 스마트 물류동과 편익상가동이 추가되어 도매시장 전체 건축물, 연 면적 5만730㎡(약4만6,000평)에서 6만2,742㎡로 증가했다. 스마트물류 동은 저온유통체계, 저온경매가 가능한 구조로 지어지며 디지털 유통과의 연계 등 향후거래 환경변화를 고려한 가변적 활용 가능성도 확보한다. 편익상가동의 경우 도매시장 취급품목 다양화를 위해 도입

했으며, 도매시장 주 고객층인 소매상과 방문시민 또한 도매시장에서 원스톱 쇼핑이 가능하도록 할 예정이란다. 토목 분야에서는 침수피해를 막기 위해 도매시장 유역은 옥산 양·배수장이 전담하고, 인근의 가락천 범람에 따른 피해를 막기 위해 상류지역에는 배수 펌프장을 추가로 건설하는 방안도 추진하기로 했다.

농수산물 도매시장 현대화 사업을 통한 전국적인 규모로 경제 파급효과와 생산 유발효과는 2,495억원으로 분석됐다. 부가가치 792억원 취업 유발효과 1,579명이다. 시 관계자도 도매시장 시설 현대화 사업의 성공적인 추진을 위해 최선을 다할 것이라고 말했다. 옥산면이 청주시 '물류유통의 심장'이자 충청의 유통 핵심거점이 되면, 옥산의 발전이 명약관화(明若觀火)한 일이다. 관(官)이 주도하든 개인이 주도하는 사업이든 처음 사업계획이 중간수정 될 때는 축소될 수 있고 산정한 사업비가 감액되기도 한다. 그런데 옥산의 '농수산물 도매시장은 오히려 늘어났다. 이는 옥산의 발전 가능성을 높이 평가한 것이 아닐까. 엊그제는 이곳의 지인으로부터 '톡'을 받았다. 2025년 '농수산물 도매시장 완공이 발표되는 날, 함께 산 낙지 먹으러 갑시다.'라고…. 벌써 마음은 그날에 가 있다.

강감찬 장군

옥산, 두해 전 이곳으로 이사와서 집 가까이에 고려 구국의 명장 강감찬 장군의 묘소가 있다는 이야기는 지인으로부터 이미 들은 터였다. 정확한 위치는 몰랐지만 마음속으로는 나라를 위한 슬기와 용맹을, 이 나라 안보의 의표로 살게 하신 명장군이 영면하고 계시다는 것만으로도 가슴 뿌듯한 자긍심이 느껴졌다. 옥산면 국사리, 내가 살고 있는 아파트에서 눈에 보일 듯한 거리이다. 한국 전쟁사의 3대첩인 을지문덕 장군의 살수대첩(고구려 영양왕23년(612년)), 강감찬 장군의 귀주대첩(고려 현종10년(1019년)), 이순신장군의 한산대첩(조선 선조25년(1592년))이다. 어느 것 하나 중요하지 않은 전쟁이 없지만 그중에서 강감찬장군의 귀주대첩이 없었더라면 북방의 강동6주(평북 해안지방 : 흥화,

용주, 통주, 철주, 귀주, 곽주)는 지금 중국의 영토가 되었을지도 모를 만큼 큰 전쟁이었다.

지금으로부터 1002년 전, 귀주대첩을 승리로 이끈 고려의 명장 강감찬 장군의 묘소가 우리고장 옥산에 있다. 주민들에게는 무한 자부심을 주며 후세들에게는 민족적 긍지를 고취시키는 중요한 역사교육의 현장이기도 하다. 장군의 선조는 강이식으로 진주 강씨이다. 아버지는 태조 왕건을 도와 고려개국에 일조한 삼한벽산공신 강궁진. 강궁진이 고려 개국당시에 경주지역에서 금천으로 이주하였고 그곳에서 강감찬을 낳았다. 장군이 태어날 때 문곡성(文曲星)이 하늘에서 내려왔다는 설화가 있는 걸로 유명한데, 문곡성은 북두칠성(혹은 음양가에서 길흉을 점칠 때 쓰는 9성)의 4번째 별로 문(文)과 재물을 관장하는 별이다. 그래서 그가 태어난 생가(서울 관악구 봉천동)의 이름이 낙성대(落星垈)이다. 이외에도 장군의 탄생설화는 몇 개 더 있다. 강감찬 장군의 시호는 인헌으로 초명은 강은천이었다.

신장155cm의 장군은 948년(정종3년) 12월 22일에 출생하였고, 1031년(덕종1년) 9월 9일(82년8개월18일)에 사망하였다. 왜소한 체구의 장군은 젊은 시절 이름을 강감찬으로 개명하였고 속자치통감에는 강감보로 기록되어 있다. 생전 받은 작위는 남작에서 진작된 후작이다 분봉된 봉지(封地)는 천수현(天水縣). 아마

한국사에서 가장 유명한 후작일 듯하다. 1018년 거란의 소배압이 10만 대군을 지휘하여 남침하자 고려는 서북면 행영을 조성, 강감찬을 행영의 도통사로 삼는다. 이어 20만 대군을 소환하여 강감찬을 상원수로 임명해 지금의 군단장과 같은 직위를 맡긴다. 그는 거란의 침략을 막아내는데 큰 공을 세웠고 구국제민(救國濟民)을 위하여 일생을 바쳐 백성들의 흠모와 존경을 받았다. 성품도 청렴하고 검약해서 옷이 해져도 계속입고 다녔다고 한다. 현종 때부터 인종 때까지 이르는 한국사 전체를 통틀어 정치·경제·문화·군사적으로 가장 빛나던 시기 중 하나였다.

고려사에는 그에 대해 키가 작고 풍채도 볼품없어 사람들이 특별히 여기지 않았지만 나라의 중대사를 의논할 때는 정색하고 임해서 나라의 주춧돌이 되니 감히 범할 수 없는 권위가 있었다고 평가하고 있다. 문관 출신이며 탁월한 전략가인 작은 거인 강감찬을 생전의 무관 '군인대통령' 박정희는 존경의 대상으로 삼았던가 보다. 1974년 낙성대 공원 안에 있는 장군의 동상과 사당인 안국사를 제법 큰 규모로 대대적인 정비를 하였다. 1988년부터는 강감찬 장군의 호국정신과 위업을 기리는 추모제향으로 낙성대 인헌제가 매년10월에 열린다. 이제 곧 10월이 온다. 옥산면 국사리, 오늘 이 나라를 있게 한 위대한 영웅 강감찬 장군의 묘소를 다시 찾아가 보아야겠다.

독립운동가 정순만

독립운동이란, 어떤 국가 또는 세력이 직, 간접적인 지배를 받는 지역에서 자치권 등의 권한을 되돌려 받거나, 스스로의 자립을 위해 벌이는 모든 행위라고 한다.

독립운동가 하면, 먼저 떠오르는 인물은 신채호, 김구, 안중근, 유관순 등이다.

구한 말 주변 열강들은 끊임없이 우리나라를 침략했고, 1910년 일본에게 강제 합병 되었다. 빼앗긴 나라를 되찾기 위하여 많은 독립 운동가들이 죽음을 두려워하지 않았고, 국내는 물론이고 만주 지역까지 활약하였다. 민족 지도자들은 일제의 탄압을 피해서 만주와 간도 연해주 등지를 떠돌며 옮겨 다녔다. 그 시기 독립운동가 중에 청주지역의 대표적인 인물 정순만이 있었다.

정순만은 연해주에서 독립운동 조직에 가담하였다. 이승만, 박용만과 함께 3만으로 불리며 독립운동 당시부터 크게 활약한 인물이지만, 고향에서 조차 그의 행적이 잘 알려지지 않았다. 정순만은(1873~1911)년 청주시 옥산면 덕촌리(하동정씨 집성촌)에서 부친 정석종과 밀양 박씨 사이에 태어났다. 1895년 을미사변(일본 자객이 명성황후를 시해한 사건)이 일어나자 충북, 경북, 강원도 등을 다니며 의병을 모집하고 국권회복을 위하여 노력했다. 정순만은 1905년 을사늑약이 강제되자 각도 청년회대표를 소집한다. 을사오적(권중현, 박제순, 이지용, 이완용, 이근택)을 암살하기 위해서 평안도 장사 수십 명을 모았으나 일제의 감시로 실패하고 말았다. 그리고 한봉수(내수), 정춘수와 정미의병에도 참여했다.(정미의병: 1907년 고종이 강제퇴위 되고 군대마저 해산 당한다.)

이상설 등과 헤이그 특사를 배웅한 후에는 블라디보스토크에 정착하였다. 1908년 2월경 〈해조신문〉의 창간에 주도적으로 참여하였고, 이 신문을 통해 항일 논조와 민족의식을 고취하였다. 이후 〈대동공보〉의 주필을 맡았고 주요 인사들과 안중근 의거를 계획하는데 참여한다. 쓰러져 가는 조국을 세워 보려고 죽음도 불사했던 독립 운동가들, 이를 기록하여 기념하고자 2019년 12월 정순만의 고향 덕촌리에 '독립운동가 마을'이 들어섰다. 또, 3,1운동 및 대한민국 임시정부 수립 100주년 기념사업 공모에 선정되어 청주시 1호 마을 아카이브(기록 보관소) 사업으로 조성되기도 했으며, 선생의 활동사 외 일제 강점기에서 민족 정신을 일깨웠던 덕신학교가 있다. 덕신학교는 정씨 문중 어른들의 적극적인 도움으로 설립되었는데, 설립 110년 만인 2016년 그들의 일념을 담아 복원되었다. 청주의 독립운동사를 기억할 수 있는 공간이다.

나라를 되찾고자 했던 독립 운동가들은 가족이나 혈연관계로 이루어진 자들이 있는데, 정순만은 아들 정양필과 며느리 이화숙 등이 가족이다. 정부에서는 1986년 애국지사 정순만 선생에게 건국훈장 독립장을 1995년에는 아들 정양필(1893~1974)과 며느리 이화숙(1893~1978) 선생에게도 건국훈장 애족장을 추서했다. 우리 옥산 지역에 이런 훌륭한 민족운동가가가 있었다는 것은 큰 자랑이다. 돌이켜 생각하고 싶지 않은 아픈 역사이지만, 또한 꼭 알아야 할 우리의 역사이다.